L'AIN À PIED

C000006027

CLASSEMENT DES RANDONNÉES

Très facile   Facile   Moyen   Difficile

Avertissement : les renseignements fournis dans ce topo-guide sont exacts au moment de l'édition. Toutefois, certaines transformations du paysage engendrées par l'urbanisation, la création de nouvelles routes ou lignes ferroviaires, l'exploitation forestière ou agricole, etc., peuvent modifier le tracé des itinéraires. Le balisage sur le terrain devient alors l'élément prioritaire du repérage, avant la carte et le descriptif. N'hésitez pas à nous signaler les changements. Les modifications seront intégrées lors de la réédition.

1ère édition : juillet 2000
© FFRP-CNSGR 2000 / ISBN 2-85699-823-2 / © IGN 2000 (fond de carte)
Dépôt légal : juillet 2000

Les départements de France *à pied*®

L'Ain *à pied*®

46 promenades et randonnées

 *Partagez nos secrets*

Fédération **F**rançaise de la **R**andonnée **P**édestre

association reconnue d'utilité publique
14, rue Riquet
75019 PARIS

Le pigeonnier de Parves. *Photo B.R.-M.*

Choisir sa randonnée

Les randonnées sont classées par ordre de difficulté.

Elles sont différenciées par des couleurs dans la fiche pratique de chaque circuit.

 très facile   Moins de 2 heures de marche.
Idéale à faire en famille, sur des chemins bien tracés.

facile   Moins de 3 heures de marche.
Peut être faite en famille. Sur des chemins, avec quelquefois des passages moins faciles.

moyen   Moins de 4 heures de marche.
Pour randonneur habitué à la marche. Avec quelquefois des endroits assez sportifs ou des dénivelées.

difficile   Plus de 4 heures de marche.
Pour randonneur expérimenté et sportif. L'itinéraire est long ou difficile (dénivelée, passages délicats), ou les deux à la fois.

Durée de la randonnée

La durée de chaque circuit est donnée à titre indicatif. Elle tient compte de la longueur de la randonnée, des dénivelées et des éventuelles difficultés.

Pas de complexe à avoir pour ceux qui marchent à «deux à l'heure» avec le dernier bambin, en photographiant les fleurs.

Quand randonner ?

■ **Automne-hiver :** les forêts sont somptueuses en automne, les champignons sont au rendez-vous (leur cueillette est réglementée), et déjà les grandes vagues d'oiseaux migrateurs animent les eaux glacées.

■ **Printemps-été :** suivant les altitudes et les régions, les mille coloris des fleurs animent les parcs et les jardins, les bords des chemins et les champs.

■ Les journées longues de l'été permettent les grandes randonnées, mais attention au coup de chaleur. Il faut boire beaucoup d'eau.

■ En période de chasse, certaines randonnées sont déconseillées, voire interdites. Se renseigner en mairie.

Avant de partir, il est recommandé de s'informer sur le temps prévu pour la journée, en téléphonant à Météo France : 08 36 68 02 01

 # Pour se rendre sur place

En voiture

Tous les points de départ sont facilement accessibles par la route.
Un parking est situé à proximité du départ de chaque randonnée.
Ne laissez pas d'objet apparent dans votre véhicule.

Par les transports en commun

■ Pour les dessertes SNCF, les horaires sont à consulter dans les gares ou par tél. au 08 36 35 35 35 ou sur Minitel au 3615 SNCF

■ Pour se déplacer en car, se renseigner auprès des offices de tourisme.

 Où manger et dormir dans la région ?

Un pique nique sur place ?
Chez l'épicier du village, le boulanger ou le boucher, mille et une occasions de découvrir les produits locaux.

Pour découvrir un village ?
Des terrasses sympathiques où souffler et prendre un verre.

Une petite faim ?
Les restaurants proposent souvent des menus du terroir. Les tables d'hôtes et les fermes-auberges racontent dans votre assiette les spécialités du coin.

Une envie de rester plus longtemps ?
De nombreuses possibilités d'hébergement existent dans la région.

Boire, manger et dormir dans la région ?	ALIMENTATION	RESTAURANT	CAFÉ	HEBERGEMENT
Argis	X	X	X	X
Ars-sur-Formans	X	X	X	X
Bagé-le-Chatel	X	X	X	X
Bellegarde	X	X	X	X
Béon		X		X
Cerdon	X	X	X	X
Chalamont	X	X	X	X
Chaleins	X	X	X	X
Champfromier	X	X	X	X
Chavannes-sur-Suran	X	X	X	X
Chézery-Forens	X	X	X	X
Coligny	X	X	X	
Corveissat	X			X
Culoz	X	X	X	X
Farges	X	X	X	X
Francheleins	X	X	X	X
Gex	X	X	X	X
Giron		X	X	X
Izieu		X		X
Jujurieux	X	X	X	X
L'Abergement-Clémenciat	X	X		X
Lelex	X	X	X	X
Les Plans-d'Hotonnes		X	X	X
Meillonnas	X	X	X	X
Montluel	X	X	X	X
Nantua	X	X	X	X
Neuville-sur-Ain	X	X	X	X
Nurieux-Volognat	X	X	X	X
Ordonnaz		X	X	X
Oyonnax	X	X	X	X
Parves				X
Polliat	X	X	X	X
Poncin	X	X	X	X
Saint-Denis-en-Bugey	X	X	X	
Saint-Didier-sur-Chalaronne	X	X	X	
Saint-Martin-du-Mont	X		X	X
Saint-Paul-de-Varax	X	X	X	X
Sermoyer	X	X	X	X
Songieu				X
Treffort-Cuisiat	X	X	X	X
Villebois	X	X	X	X
Virieu-le-Grand	X		X	

La randonnée est reportée en rouge sur la carte IGN

Rivière

Village

La forêt (en vert)

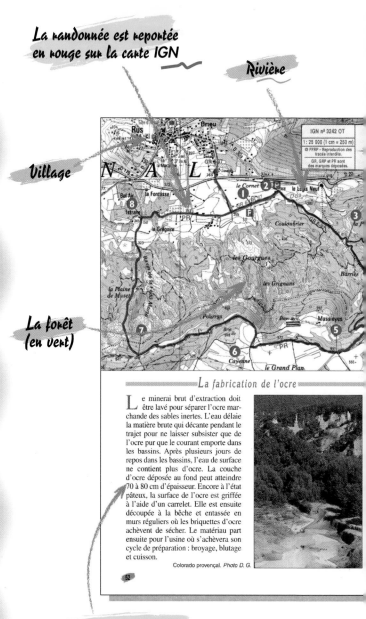

IGN n° 3242 OT
1 : 25 000 (1 cm = 250 m)
© FFRP - Reproduction des tracés interdite.
GR, GRP et PR sont des marques déposées.

La fabrication de l'ocre

Le minerai brut d'extraction doit être lavé pour séparer l'ocre marchande des sables inertes. L'eau délaie la matière brute qui décante pendant le trajet pour ne laisser subsister que de l'ocre pur que le courant emporte dans les bassins. Après plusieurs jours de repos dans les bassins, l'eau de surface ne contient plus d'ocre. La couche d'ocre déposée au fond peut atteindre 70 à 80 cm d'épaisseur. Encore à l'état pâteux, la surface de l'ocre est griffée à l'aide d'un carrelet. Elle est ensuite découpée à la bêche et entassée en murs réguliers où les briquettes d'ocre achèvent de sécher. Le matériau part ensuite pour l'usine où s'achèvera son cycle de préparation : broyage, blutage et cuisson.

Colorado provençal. Photo D. G.

52

Pour en savoir plus

Nom et Numéro de la randonnée

Pour se rendre sur place

Temps de marche

à pied

Longueur

Classement de la randonnée :

Très facile   Moyen

Facile   Difficile

Le Sentier des Ocres

Fiche pratique 17

Cet itinéraire présente le double avantage d'une découverte à la fois panoramique et intime des ocres.

Du parking, emprunter la route vers l'Est.

Dans le prochain virage à gauche, prendre à droite ncien chemin de Rustrel à Viens qui descend vers la a. Franchir le torrent. Passer à côté d'un cabanon en ne. Un peu plus haut, le chemin surplombe un cirque de ples ocreux.

Laisser le GR° 6 à gauche. Plus haut le chemin sur- mbe le ravin de Barries et le moulin du même nom. En ut du vallon de Barries, prendre à gauche une route.

Au carrefour suivant, tourner à droite.

Après une petite ferme entourée de cèdres et de près, prendre à droite le chemin qui parcourt le rebord plateau.

Après une courte descente, prendre à droite. Suivre le ut du ravin des Gourgues. Ne pas prendre le prochain ntier sur la gauche. A la bifurcation suivante, prendre à uche le sentier à peu près horizontal qui s'oriente vers uest. Un peu plus loin, longer une très longue bande de re cultivée. Se diriger vers la colline de la Croix de Cristol.

Au pied de celle-ci, prendre à droite le sentier qui descend s Istrane. Il s'a de l'ancien chemin de Caseneuve à strel. Une éclair uvre des points de vue sur les pentes vinées de Couvin sur la chapelle de Notre-Dame-des- ges et sur Saint- aturnin-lès-Apt. Au fur et à mesure de la scente, la végéta on change de physionomie pour laisser ace à des espè es qui affectionnent les terrains sableux. anchir la Doa et monter la route jusqu'à Istrane.

Au croisement prendre à droite l'ancien chemin de la ste. Passer à p oximité d'une ancienne usine de condition- ment de l'ocre, uis à côté de Bouvène. Avant de regagner point de départ on peut remarquer le site des Chemineés Fées (colonne de sables ocreux protégées par des blocs grès).

Situation : Rustre sur la D 22 à 13 km au Nord-Est d'Ant

 Parking communal de Rustrel

 Balisage
❶ à ❸ blanc-rouge
❸ à ❶ jaune

 Difficulté particulière
■ passages raides dans la descente sur Istrane

 Ne pas oublier

À voir

 En chemin
■ Gisements de sables ocreux
■ Chapelle Notre-Dame- des-Anges

 Dans la région
■ Roussillon : sentier des aiguilles et usine Mathieu, consacrés à l'exploitation de l'ocre.

53

 Point le plus haut
Point le plus bas

 Parking

Balisage des sentiers (voir page 13)

 Attention

Prévoir des jumelles

Prévoir une lampe de poche

 Emporter de l'eau

 Sites et curiosités à ne pas manquer en chemin

 Autres découvertes à faire dans la région

Description précise de la randonnée

Des astuces pour une bonne rando

■ Prenez un petit sac pour y mettre la gourde d'eau, le pique-nique et quelques aliments énergétiques pour le goûter.

Le temps peut changer très vite lors d'une courte randonnée. Un coupe-vent léger ou un vêtement chaud et imperméable sont conseillés suivant les régions.

En été, pensez aux lunettes de soleil, à la crème solaire et au chapeau.

■ La chaussure est l'outil premier du randonneur. Elle doit tenir la cheville. Choisissez la légère pour les petites randonnées. Si la rando est plus longue, prévoyez de bonnes chaussettes.

■ Mettre dans votre sac à dos l'un de ces nouveaux petits guides sur la nature animera la randonnée. Ils sont légers et peu coûteux. Pour reconnaître facilement les orchidées sauvages et les différentes fougères. Cela évite de marcher n'importe où et d'écraser des espèces rares ou protégées.

■ Pour garder les souvenirs de la randonnée, des fleurs et des papillons, rien de tel qu'un appareil photo.

■ Les barrières et les clôtures servent à protéger les troupeaux ou les cultures. Une barrière ouverte sera refermée.

■ Les chiens sont tenus en laisse. Ils sont interdits dans les parcs nationaux et certaines zones protégées.

SUIVEZ LE BALISAGE POUR RESTER SUR LE BON CHEMIN.

LE BALISAGE DES SENTIERS PR® GR® GRP®

	PR®	GR®	GRP®
Bonne direction			
Tourner à gauche			
Tourner à droite			
Mauvaise direction			

© FFRP - Reproduction interdite

Vous pourrez rencontrer d'autres couleurs de balisage sur le terrain.
Elles sont indiquées dans la fiche pratique de chaque circuit.

PR LE CHATEAU 2h

La Fédération française
de la Randonnée
pédestre

180 000 km de sentiers balisés

1 900 clubs et associations

Lieux d'accueil et d'amitié pour les randonneurs, ils sont la force vive de la Fédération et proposent à leurs adhérents des programmes de randonnées de tous les niveaux.

1947, le Comité National des sentiers de Grande Randonnée est créé, il devient 30 ans plus tard la Fédération Française de la Randonnée Pédestre. Sa tâche : équiper la France d'un réseau d'itinéraires de randonnée balisés, entretenus par 6 000 bénévoles et décrits dans des topo-guides.

FFRP

Plus de 110 000 licenciés*

La licence FFRP, individuelle ou familiale, permet d'acquérir une assurance adaptée à la pratique de la randonnée pédestre en responsabilité civile, accidents corporels et assistance. La licence permet également de bénéficier d'un certain nombre de tarifs préférentiels.

(*en 1998).

La formation

Une formation agréée par le ministère de la Jeunesse et des Sports débouche sur l'obtention du **Brevet fédéral d'animateur de randonnée pédestre.** La FFRP organise aussi des stages spécifiques.

3615 RANDO
2,23 F la minute

Les chemins sont en fête
Fête de la randonnée le 3ème week-end de juin
Fédération Française de la Randonnée Pédestre

14

Où s'adresser ?

Comité régional du Tourisme (CRT)

• CRT Rhône-Alpes, 104, route de Paris, 69260 Charbonnières-les-Bains, tél. 04 74 59 21 59, Fax : 04 72 59 21 60. E-mail : crt@rhonealpes_tourisme.com

Comité départemental du Tourisme (CDT)

Le CDT publie des brochures, mises à jour sur les activités, les séjours et l'hébergement dans le département concerné, ainsi que la liste des Offices de tourisme et Syndicats d'initiative

• CDT de l'Ain, 34, rue Général-Delestraint, 01002 Bourg-en-Bresse, tél. 04 74 32 31 30, fax. 04 74 21 45 69. E-mail : tourisme@cdt_ain.fr

Offices de tourisme et Syndicats d'initiative

• Fédération départementale des Offices de tourisme et Syndicats d'initiative :

FDOTSI de l'Ain, 34, rue Général-Delestraint, 01002 Bourg-en-Bresse, tél. 04 74 32 31 30, fax. 04 74 21 45 69

• Bâgé-le-Châtel, tél. 03 85 30 56 66
• Bellegarde-sur-Valserine, tél. 04 50 48 48 68
• Belley, tél. 04 79 81 29 06
• Bourg-en-Bresse, tél. 04 74 22 49 40
• Champagne-en-Valromey, tél. 04 79 87 51 04
• Châtillon-sur-Chalaronne, tél.04 74 55 02 27
• Culoz, tél. 04 79 87 00 30
• Divonne-les-Bains, tél. 04 50 20 01 22
• Ferney-Voltaire, tél. 04 50 28 09 16
• Gex, tél. 04 50 41 53 85
• Hauteville–Lompnes, tél. 04 74 35 39 73

• Izernore, tél. 04 74 76 51 30
• Lélex - Monts Jura, tél. 04 50 20 91 43
• Lhuis, tél. 04 74 39 80 92
• Montrevel-en-Bresse, tél. 04 74 25 48 74
• Nantua, tél. 04 74 75 00 05
• Oyonnax, tél. 04 74 77 94 46
• Pont-de-Vaux, tél. 03 85 30 30 02
• Saint-Rambert-en-Bugey, tél. 04 74 36 32 86
• Saint-Trivier-de-Courtes, tél. 04 74 30 71 89
• Thoissey, tél. 04 74 04 90 17
• Trévoux, tél. 04 74 00 36 32
• Villars-les-Dombes, tél. 04 74 98 06 29

La Fédération Française de la Randonnée Pédestre (FFRP)

• **Le Centre d'Information** *Sentiers et Randonnée*
Pour tous renseignements sur la randonnée en France et sur les activités de la FFRP
14, rue Riquet, 75019 Paris, tél. 01 44 89 93 93, fax 01 40 35 85 67
• Le Comité Régional de la Randonnée Pédestre (CRRP)
CRRP Rhône-Alpes, Le Basin, 38490 Saint-Ondras
• Comité départemental de la randonnée pédestre
CODERANDO 01 34, rue Général-Delestraint, BP 78, 01002 Bourg-en-Bresse Cedex France, tél. 04 74 32 38 67, 04 74 21 45 69.

Divers

• Service départemental de réservation Gîtes de France, Loisirs Accueil Ain, tél. 04 74 23 82 66, fax : 04 74 22 65 96. E-mail : service_de_réservation@wanadoo.fr
• Parc naturel régional du Haut-Jura, 39310 Lajoux, tél. 03 84 34 12 30
• Association touristique du Revermont, mairie, 01250 Ceyzériat, tél. 04 74 25 00 46
• Conservation départementale - Musées des Pays de l'Ain, tél. 04 74 32 10 60
• Parc des Oiseaux, 01330 Villars-les-Dombes, tél.04 74 98 05 54
• Bureau des Accompagnateurs de Valserine, Office de tourisme de Lélex - Monts Jura, tél. 04 50 20 92 29.

entrez
dans la confidence...

à pied ou à VTT,
à travers plus de 2000 kms
de sentiers (de la petite
randonnée au GR)
du Rhône au Jura,
découvrez tous les trésors
de l'**Ain**

Pour en savoir plus,
contactez le :
**COMITÉ DÉPARTEMENTAL
du TOURISME de L'AIN**
tél. **04 74 32 31 30**
email. **tourisme@cdt-ain.fr**

Partagez nos secrets

Découvrir l'Ain

Village de Villebois. *Photo J.F.B.*

Une unité de plusieurs territoires

Longtemps, les pays de l'Ain sont restés des territoires divisés. Colonisé par les Romains dès le début de la conquête des Gaules, le futur département fut à nouveau morcelé à l'époque carolingienne.

Ce sont les Savoyards qui, à partir du 11e siècle, commencèrent à réunir les terres du département.. Ce fut presque chose faite en 1402 sous Amédée VIII puis à l'apogée de la Maison de Savoie au début du 16e.

Eglise de Verjon. *Photo H. R.*

Après une période mouvementée menant à la conquête de la Savoie par le Royaume de France, la Bresse, le Bugey et le Pays de Gex sont cédés à Henri IV avec le traité de Lyon (17 janvier 1601). Par la cession de la Principauté indépendante de la Dombes en 1762, l'unité du futur département s'acheva.

Etang en Dombes. *Photo G. B.*

La Bresse et **la Dombes** vous surprendront. D'un côté, un paysage à la quiétude discrète, enrichi par le savoir-faire de l'homme : quand les bressans travaillent avec art le noyer et le frêne, fabriquant armoires, vaisseliers ou horloges; quand brillent les émaux aux couleurs chatoyantes ou les faïences de Meillonnas; quand la fameuse volaille (seule espèce au monde

protégée par une appellation d'origine contrôlée) transforme en fête le repas des gourmets ; quand apparaît au détour d'un bosquet , une ferme en pisé et à pans de bois, coiffée d'une singulière mitre appelée «cheminée sarrasine»...
D'un autre côté, l'eau omniprésente, élément naturel domestiqué par les dombistes depuis le Moyen Age créant ainsi un équilibre écologique nourricier dans lequel plusieurs milliers d'oiseaux migrateurs trouvent refuge. Pêche, chasse et agriculture s'y succèdent au gré des saisons dans des paysages discrets, gardés, semble-t-il, par les châteaux ou les maisons fortes bâties en briques rouges.

Plus à l'Est, la montagne a pour nom **Bugey** et **Pays de Gex**. Alternance de crêts, combes, cluses, plateaux, elle constitue la partie Sud du Jura avec, face au Mont-Blanc, le Crêt de la Neige (1718 m), point culminant du massif. Lacs d'origine glaciaire rafraîchissants à souhait pendant l'été, rivières recherchées pour la pêche, climat tonique idéal pour retrouver la forme, monde souterrain creusé par l'eau dans la roche calcaire, pâturages à pelouse grasse envahis par les fleurs, la montagne de l'Ain a été très tôt habitée et défendue par les hommes. Dans cet espace naturel à la fois si proche des villes et si loin des foules, cohabitent la station classée «Ski-France» de Monts-Jura (ski en famille), le Parc naturel régional du Haut-Jura (randonnée), les réserves naturelles de la Haute Chaîne, du Marais de Lavours et le plateau du Retord (pulkas et chiens de traîneaux).

Une flore et une faune variées

Entre les zones humides de la Dombes, le bocage paysager de la Bresse, les pentes calcaires du Bugey, souvent dénudées et les pâturages à caractère subalpin des Crêtes du Jura, la végétation de l'Ain offre une variété florale très large. Sur les seuls Monts Jura, près de cinq cents espèces ont été répertoriées, dont sept sont protégées. Cette extraordinaire variété attire depuis le 16e siècle les amateurs de botanique : lin des Alpes, aster, ancolie, anémone pulsatille, lys martagon, orchidées, drosera, linaigrette....

Linaigrette. *Photo N.V.*

La forêt qui occupe des milliers d'hectares est composée de nombreuses espèces avec une dominante de feuillus en plaine (châtaignier, chêne, saule, peuplier ou frêne...) et de résineux en moyenne montagne (épicéa et sapin).

Chardon. *Photo R. T.*

Les plus spectaculaires représentants de la faune locale vivent dans les montagnes (lynx, chamois, grand tétras, faucon pèlerin, renard...) ou dans la Dombes, véritable paradis des oiseaux ... et des ornithologues.

Ici, l'alternance des terrains inondés et cultivés a favorisé une forte densité d'espèces (Foulques, Colverts, Sarcelles, Aigrettes ou Hérons Cendrés...).

L'art de l'énigme

Découvrir l'Ain demande donc du temps, de la patience et une certaine idée du voyage. Les Pays de l'Ain cultivent avec bonheur l'art de l'énigme : la cité médiévale de Pérouges et ses ruelles pavées dans lesquelles se répand l'odeur de la galette toute chaude...

Chamois.
Dessin F.L.

l'église de Brou avec ses tuiles vernissées, chef-d'œuvre de l'art gothique flamboyant... Le curieux village d'Oncieu bâti en rond autour d'un verger... Le domaine des Planons, ancienne ferme du 17e siècle, devenue

Musée des Planons. *Photo P.C.*

musée de la Bresse consacré à la vie rurale...

L'imposant panorama sur le Mont-Blanc et le massif des Alpes, à contempler depuis les sommets de la plus haute chaîne du Jura au-dessus de la plaine du Léman, qui est également une réserve naturelle, Divonne-les-Bains, station thermale située aux portes de Genève, offrant un subtil cocktail de remise en forme, gastronomie, détente, jeu et santé... le Parc des Oiseaux et ses deux mille pensionnaires venus des cinq continents... ou encore l'art de la cuisine, qui vaut à l'Ain le privilège de figurer parmi les départements les plus renommés de France...

Des personnages célèbres

Au fil de l'histoire, l'Ain s'est souvent illustré à travers la personnalité d'artistes, hommes politiques ou scientifiques. Parmi eux, Voltaire, homme du siècle des Lumières, trouva refuge à Ferney dans le Pays de Gex pendant les vingt dernières années de sa vie.

Après Lamartine dans le Bugey, Saint Exupéry qui vécut son enfance près d'Ambérieu en Bugey où il fit ses débuts dans l'aviation, le département a accueilli Roger Vaillant, pendant la Seconde Guerre mondiale. Il y resta jusqu'à sa mort et écrivit l'essentiel de son œuvre dans le Revermont.

Eglise de Brou. *Photo G.B.*

Enfin le département, dans lequel les bons produits du terroir et la gastronomie constituent un véritable art de vivre, est resté marqué par l'empreinte du gastronome Brillat-Savarin, natif de Belley et auteur de *La Physiologie du Goût*.

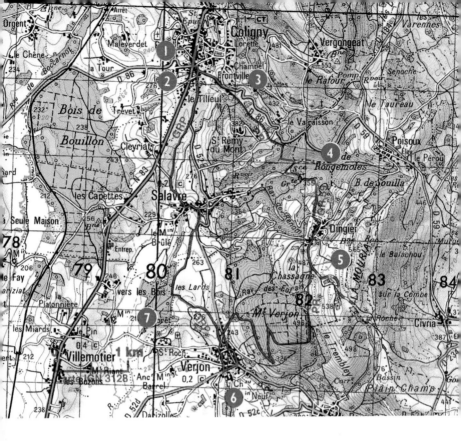

Coligny et son riche passé

Buste d'Apollon. *Photo M.P.*

A dossé aux collines du Revermont, ouvert sur la Bresse qu'il domine largement, le village de Coligny occupe une position privilégiée qui explique l'influence qu'il a toujours exercée sur la région. Rendu célèbre par l'un de ses seigneurs, l'amiral de Coligny qui osa défier Catherine de Médicis au 16e siècle et fut assassiné comme tant d'autres protestants au cours de la fameuse nuit de la Saint-Barthélemy. Des fouilles réalisées au 19e siècle ont permis de découvrir une statue du dieu Apollon et surtout un calendrier gaulois, d'une exceptionnelle valeur. Conservés au musée gallo-romain de Lyon, ces vestiges ont fait l'objet de moulages exposés à la mairie de Coligny.

Le mont Verjon

3 h 30
13 Km

474m
220m

Un petit tour au pays de Gaspard, l'amiral victime de la Saint-Barthélemy, et de ses frères, dont Odet, le cardinal devenu huguenot et François.

1 Suivre la rue principale vers le Sud.

2 Emprunter à gauche la D 86 en direction de Poisoux.

3 Après le stade, s'engager à droite sur le chemin qui passe au pied de Saint-Rémy-du-Mont *(chapelle 13e)*. Couper une route et gagner une croisée de chemins.

4 Virer à droite sur le sentier qui descend dans une combe. Au fond, dans le premier pré, longer à gauche une clôture et monter vers des rochers. Passer près de la grotte de Notre-Dame-de-la-Roche *(Vierge à l'Enfant 16e, source)*. Continuer sur le plateau, puis tourner à droite et gagner Dingier. Sortir du hameau par le Sud. Au réservoir, suivre à gauche une route sur 300 m.

▶ Accès à la borne-frontière en continuant le GR® 59 sur 1 km *(balisage blanc-rouge)*.

5 Filer tout droit pour contourner le mont Verjon, puis descendre au village. Emprunter la D 52 à gauche et rejoindre le château. Poursuivre sur la D52d et atteindre un carrefour.

6 Tourner à droite et partir plein Nord. Passer devant l'église. Laisser une route à gauche, puis bifurquer trois fois à gauche.

7 S'orienter au Nord et gagner Salavre. Dans le village, tourner à gauche, puis à droite. Quitter la route pour continuer au Nord. Poursuivre tout droit sur la D 52 qui ramène à Coligny.

2 Rejoindre le centre de Coligny par l'itinéraire emprunté à l'aller.

Croix de Salavre.
Photo H.R.

Situation Coligny, à 25 km au Nord de Bourg-en-Bresse par la N 83

 Parking place de la Mairie

Balisage

1 à **2** jaune-rouge
2 à **4** jaune (n° 95)
4 à **5** blanc-rouge
5 à **6** jaune n° 95
6 à **1** jaune-rouge

⚠ **Difficulté particulière**

■ en période de pluie, terrain glissant avant et après Notre-Dame-de-la-Roche (main courante en fer pour accéder à la Madone) ; prudence en période de chasse

Ne pas oublier

À voir

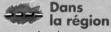 **En chemin**

■ Coligny : église, dieu et calendrier gaulois (moulage en mairie) ■ Notre-Dame-de-la-Roche : Vierge à l'Enfant 16e, grotte et source ■ Dingier : chapelle de 1882, croix à personnage 16e, puits communal ■ borne-frontière entre la France et la Franche-Comté de 1613 ■ Verjon : église 16e

 Dans la région

■ source du Solnan ■ Verjon : moulin avec roues à aubes

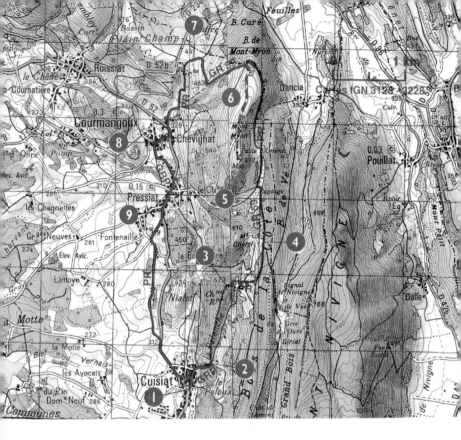

Le musée du Revermont

*A*u cœur du pays et des hommes, le musée du Revermont, installé dans les bâtiments nouvellement aménagés de l'ancienne mairie-école de Cuisiat, évoque la vie des hommes du Revermont du 18e siècle à nos jours. Travail des vignerons, des « tupiniers », des carriers, des paysans, conditions des enfants, univers scolaire, croyances et coutumes, les objets rassemblés au fil des expositions racontent…

Côté jardin, le potager et le verger conservatoire présentent plus de 650 espèces et variétés locales de plantes domestiques ainsi que les usages et les savoirs liés à ces plantes.

Animations diverses, activités pédagogiques, concours de création, marché des fruits d'automne… font aussi du musée un lieu d'échanges.

Le verger et le potager. *Photo G.A./ Musées des Pays de l'Ain*

Le tour du mont Myon

Avant de visiter le musée du Revermont, reflet de la vie quotidienne d'autrefois, faites connaissance avec le cadre naturel de cette région.

Coloquintes. *Dessin F.L.*

3 h 30 • 12 Km

579m
328m

Situation Treffort-Cuisiat, à 20 km au Nord-Est de Bourg-en-Bresse par les N 83, D 3 et D 3b

Parking place de Cuisiat (face à l'église et au musée du Revermont)

Balisage

1 à 2	jaune-rouge
2 à 4	jaune n° 10
4 à 5	blanc-rouge
5 à 6	jaune n° 10
6 à 7	blanc-rouge
7 à 8	jaune n° 10
8 à 9	jaune-rouge
9 à 1	jaune n° 10

Ne pas oublier

À voir

 En chemin

■ Cuisiat : musée du Revermont, jardins et vergers conservatoires, historique de la Faïence de Meillonnas, plan d'eau de La Grange-du-Pin ■ Montfort : chapelle 13e ■ Pressiat : église (peintures 15e)

 Dans la région

■ Treffort : village pittoresque ■ Meillonnas : village célèbre pour ses faïences ■ Roissiat : sentier *Mémoire de Pierre* ■ Mont Nivigne : point culminant du Revermont (768 m)

❶ Quitter le village par le Nord, puis suivre à droite la route.

❷ Après la dernière maison, près d'une croix, monter à gauche sur une croupe qui mène aux ruines du château de Montfort.

❸ Descendre vers l'Est en direction de la chapelle de Montfort et trouver un large chemin près d'une bergerie. Se diriger tout droit puis à gauche et gagner une croisée de chemins.

❹ Poursuivre tout droit sur 600 m et atteindre un carrefour.

❺ Emprunter le chemin à droite (Nord). Il longe le mont Myon dans une combe, puis à flanc. Rejoindre un large chemin.

▶ Accès au sommet du mont Myon *(650 m, table d'orientation)* en prenant le chemin à gauche sur 1 km *(balisage blanc-rouge)*.

❻ Descendre en face jusqu'à une fourche, avant une route.

❼ Partir à gauche et descendre à Chevignat. Emprunter la D 52 à gauche sur 100 m, puis tourner à droite et traverser le village.

❽ Devant la chapelle, aller à gauche et gagner Pressiat par la route. A la sortie du village, monter à gauche par la D 52.

❾ Poursuivre sur 100 m, puis prendre la petite route à droite. Tourner à gauche, puis bifurquer à droite. Emprunter la D 52 à droite et retrouver Cuisiat.

Villages chargés d'histoire

*M*eillonnas et Treffort sont deux gros bourgs de la Côtière Ouest du Revermont. Si Treffort s'étage à mi-pente, Meillonnas apparaît niché dans la verdure. Le long des ruelles pentues du vieux Treffort, les voûtes d'entrée de caves témoignent du passé vigneron. A Meillonnas, les maisons à colombages sont toujours habitées et le château moyenâgeux, qui abrita au 18e siècle une faïencerie célèbre, est occupé par des salles communales. Chaque église possède son trésor : à Meillonnas, les fresques du 14e siècle sont en cours de restauration. A Treffort, les stalles du 18e siècle, provenant de la chartreuse de Sélignac, racontent la vie de saint Bruno.

Dans les rues de Meillonnas.
Photo A.T.

Le mont de Grillerin

Faïences de Meillonnas.
Dessin F.L.

4 h 30
15 Km
538m
266m

Situation Meillonnas, à 12 km au Nord-Est de Bourg-en-Bresse par les D 936 et D 52

Parking place de l'Eglise

Balisage
1 à **7** jaune
7 à **8** blanc-rouge
8 à **1** jaune

Ne pas oublier

Le village de Meillonnas vous accueille pour découvrir cette région, grâce à un parcours de crête qui offre divers points de vue sur le Revermont et la Bresse.

1 Derrière l'église, emprunter le chemin de Beauregard.

2 Continuer sur le sentier qui monte à travers pâturages et forêts de pins *(points de vues sur le village et la Bresse)*. Au sommet de la colline, contourner le grand pré par le Nord, puis descendre en direction de Treffort.

3 A l'entrée de Treffort, au pied de la D 3, partir à droite après la fontaine. Passer devant un lavoir et poursuivre sur 500 m.

4 Monter à droite en direction de la croix des Engoulures. Couper la route et emprunter le large chemin qui conduit à Montmerle sur 200 m.

5 S'élever à droite dans les buis, en direction des pylônes du mont Grillerin *(point de vue)*.

6 Au pylône, continuer dans le pâturage, en direction du Sud.

7 Partir à gauche sur la ligne de crête, puis descendre au col de France.

8 Traverser le parking, puis s'engager sur un petit sentier qui descend au hameau de France. Continuer au Nord et retrouver Beauregard.

2 Tourner à gauche pour regagner le point de départ.

À voir

En chemin

■ Meillonnas : village pittoresque, vente de faïences décorées ■ Treffort : village pittoresque

Dans la région

■ Bourg-en-Bresse : quartier ancien (maisons à colombages 15e) ; église, cloître et musée de Brou ■ Cuisiat : musée du Revermont, jardins et vergers conservatoires, historique de la faïence de Meillonnas, plan d'eau de La Grange-du-Pin ■ Saint-Etienne-du-Bois : maison de pays de la Bresse ■ Sanciat : calvaire

Les eaux secrètes du Suran

Descendant du Jura tout proche, le Suran possède une vallée tranquille où l'eau s'écoule en abondance... mais pas toujours à l'air libre ! Comme beaucoup de cours d'eau des terrains calcaires, il possède un cours souterrain très actif, alimenté par des «pertes», parfois visibles dans le lit même de la rivière lorsqu'elle est à sec. Entre Chavannes et l'aval de Meyriat, le Suran peut

Le Suran. *Photo M.P.*

ainsi disparaître dans le sol pendant une bonne partie de l'année.

Les eaux de la vallée voisine de Drom et de Ramasse, fermée de toutes parts, sont quant à elles condamnées à l'infiltration. En cas de fortes pluies, les inondations étaient autrefois inévitables. Depuis la fin du 19e siècle, un tunnel construit sur un kilomètre amène les eaux de la vallée jusqu'au Suran.

La vallée du Suran

Fiche pratique **4**

Au centre du Revermont, la vallée du Suran, avec ses moulins et ses passages à gué, marque la transition entre les deux parties majeures du département : l'Est montagneux et l'Ouest.

Le rosé des prés. *Dessin F.L.*

3 h
10 Km
385m
317m

Situation Chavannes-sur-Suran, à 18 km au Nord-Est de Bourg-en-Bresse par les D 936 et D 3

Parking place de la Mairie

Balisage jaune n° 87

❶ Quitter le village vers l'Est par la D 3 en direction d'Aromas. Franchir le pont sur le Suran et passer le stade.

❷ Tourner à gauche et poursuivre sur la route jusqu'à Chavuissiat-le-Petit.

❸ Dans le hameau, bifurquer à gauche. Franchir le Suran, puis couper la D 42 et continuer sur 200 m. Partir à gauche vers Corcelles. A l'entrée du hameau, tourner à droite. La route de Rosy dessine un lacet.

❹ S'engager sur un chemin à gauche qui file plein Sud, à niveau. Emprunter une route à droite sur 200 m.

❺ Dans le virage à gauche, continuer tout droit et monter dans un bois jusqu'au carrefour de jonction avec le circuit n° 86 *(balisage jaune)*.

❻ Partir à gauche. En vue du hameau de Dhuys, bifurquer deux fois à gauche, puis emprunter la route à gauche. Laisser à gauche la ferme de Foy.

❼ S'engager à droite sur un chemin qui, à travers bois, ramène à Chavannes.

Le héron cendré. *Dessin F.L.*

À voir

En chemin

■ église gothique ■ maison Baillat 13e

Dans la région

■ vallée et gorges de l'Ain
■ Sélignac : chartreuse
■ donjon de Buenc 13e
■ Simandre : menhir

Les bords de l'Ain

6 h 30
20 Km

558m
257m

Situation Poncin, à 32 km au Sud-Est de Bourg-en-Bresse par les D 979 et D 91

L'Ain coupe en deux le département qui lui doit son nom. Parcourez avec cette verte rivière descendue du Jura, ses derniers kilomètres avant la plaine.

1 Sortir des parkings vers le Nord-Est, puis emprunter la D 85 vers Challes le long du château.

2 S'engager à gauche sur un large chemin qui mène tout droit à La Cueille. En haut du hameau, suivre un sentier qui grimpe dans les buis et conduit aux Roches *(571 m, panorama sur la vallée de l'Ain, l'île Chambod et la retenue du barrage d'Allement)*.

3 Le sentier longe la crête, puis descend dans une forêt de pins. Virer à gauche en angle droit. En vue de Merpuis, partir à droite. Monter une petite route à droite sur 700 m.

4 Dans un virage à droite, continuer tout droit. Descendre sous le viaduc de Serrières. Monter sur le viaduc par la route à droite et franchir l'Ain.

5 Au bout du pont, tourner à gauche et suivre la rivière sur 200 m. Monter la colline jusqu'à Merloz. Laisser le hameau à gauche, couper la route et s'engager sur un chemin à flanc de montagne. Passer un château d'eau, puis continuer sur 250 m.

6 Partir à gauche en angle droit sur une route et poursuivre tout droit sur un sentier. Gagner Allement. Prendre le chemin à droite près du four banal.

7 A mi-pente, bifurquer à gauche. Continuer sur la D 81.

8 Obliquer à gauche sur un sentier qui surplombe la vallée et ramène à Poncin. Franchir l'Ain, puis tourner à droite. Passer devant la salle omnisports et retrouver le centre-ville.

Parking allée de Verdun et foyer rural

 Balisage

1 à **6** bleu-blanc
6 à **7** jaune-rouge
7 à **1** bleu-blanc

Ne pas oublier

À voir

En chemin

■ Poncin : centre médiéval ■ La Cueille : chapelle et village ■ panoramas sur la vallée de l'Ain, le Revermont et les monts Berthiand ■ viaduc de Serrières : hauteur 35 m, portée de l'arche 124 m ■ Allement : chapelle et village

Dans la région

■ abri de la Colombière : galets magdaléniens gravés ■ Merpuis : promenades en bateau sur la retenue du barrage d'Allement

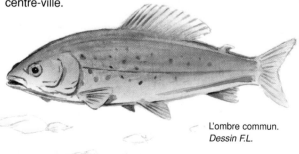

L'ombre commun.
Dessin F.L.

Les premiers hommes des bords de l'Ain

Les fouilles effectuées aux environs de Neuville-sur-Ain ont montré avec certitude que les premiers hommes se sont installés assez tardivement dans la région. Les vallées de l'Ain et du Suran ont sans doute été colonisées environ 10 000 ans avant Jésus-Christ, après les grandes périodes de glaciation durant lesquelles le Bugey, la Bresse et la Dombes étaient encore couverts par les glaciers du Rhône et de l'Isère.

La grotte de la Croze ou l'abri Gay, pour ne citer qu'eux, ont livré quantité d'armes et d'outils qui attestent de la présence de communautés qui vivaient de la chasse et de la pêche. Quant à la célèbre grotte de la Colombière, fermée au public, elle a offert aux chercheurs des galets et des os gravés tout à fait exceptionnels. Ces œuvres d'artistes préhistoriques sont conservées à la Faculté de Lyon et ne sont malheureusement pas visibles. Mais le musée de l'Ain à Bourg, expose un de ces précieux galets.

Les galets gravés de la roche Colombière.
Dessin F.L.

La basse rivière d'Ain

Avec ses eaux claires et fraîches, ses belles plages de graviers blancs et ses longs courants, la basse rivière d'Ain offre un fabuleux domaine aux amateurs d'eaux vives. Sur plus de 35 kilomètres entre le barrage d'Allement à l'amont de Poncin et Saint-Maurice-de-Gourdans, pêcheurs, canoéistes ou baigneurs sont tous à la fête !

Après l'ouverture de la pêche au mois de mars, la rivière est un peu le domaine réservé des pêcheurs. Truites sauvages au corps doré et piqueté de noir, puis ombres communs aux beaux reflets cuivrés (à partir de la mi-mai) font l'objet de toutes leurs convoitises. Pêche aux leurres ou pêche à la mouche, les techniques les plus sportives sont à l'honneur.

Plus tard en saison, familles et baigneurs prennent le relais. Les jours de forte chaleur, les eaux de l'Ain, toujours un peu fraîches, sont un véritable enchantement. Et le soir venu, rien n'empêche d'aller déguster une friture ou, mieux encore, de délicieuses grenouilles : guinguettes des bords de l'eau avec terrasse ombragée ou restaurants plus traditionnels, ils sont des dizaines à offrir ces plaisirs simples dans la vallée de l'Ain !

Les gorges de l'Ain. *Photo J.B.*

La descente de l'Ain en canoë

Neuville-sur-Ain. *Photo G. Be.*

S i la rivière d'Ain n'avait pas été en partie domestiquée avec l'aménagement de barrages hydro-électriques, le potentiel de descente en canoë aurait assurément fait de cette rivière l'une des toutes premiè-res destinations françaises de la discipline. Malgré tout, la partie exploitable offre un magnifique parcours accessible au plus grand nombre de touristes dans un cadre naturel champêtre et plutôt sauvage. C'est à partir de Pont-d'Ain et jusqu'au Rhône que la descente peut se concevoir d'une seule traite ou sur plusieurs distances envisageables pendant quelques heures ou sur la journée complète. On peut louer les canoës sur place et un service de navettes ramène les participants au point de départ.

Le mont Olivet

3 h
10 Km

Frontière entre Revermont et Bugey, Neuville-sur-Ain constitue un site agréable à découvrir. Son écrin de verdure et la rivière l'Ain sont parmi ses charmes les plus attrayants.

Situation Neuville-sur-Ain, à 27 km au Sud-Est de Bourg-en-Bresse par les N 75 et D 984

Parking place de l'Hôtel-de-Ville

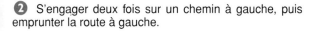 **Balisage**

1 à 7 vert
7 à 8 blanc-rouge
8 à 2 bleu-violet
2 à 1 vert

❶ Quitter le parking en montant vers l'Ouest, puis prendre la route à gauche jusqu'au château d'eau.

Bergeronnette grise.
Dessin F.L.

❷ S'engager deux fois sur un chemin à gauche, puis emprunter la route à gauche.

❸ Ne pas descendre à Thol, mais prendre le deuxième chemin à droite qui monte en sous-bois. A une patte d'oie, bifurquer sur le sentier à gauche, d'abord sous bois puis à travers un taillis. A la sortie du bois de Thol, ne pas aller vers Oussiat, mais suivre un large chemin qui mène au mont Olivet *(314 m, panorama)*.

Ne pas oublier

❹ Descendre à droite vers la route de Pampier-Oussiat. L'emprunter à droite.

❺ A la bifurcation, s'engager à gauche sur un large chemin dans un paysage dégagé.

À voir

❻ En vue de Saint-André, partir à droite en légère descente, puis bifurquer à gauche. Utiliser la route à gauche pour passer sous l'A 40. S'engager sur le chemin à droite, puis suivre la route à droite et prendre le premier chemin à gauche.

En chemin

■ panorama sur les monts du Bugey et la vallée de l'Ain

❼ Virer à droite.

Dans la région

❽ A la fourche, continuer tout droit, puis franchir l'A 40.

❷ Obliquer à gauche pour retrouver le point de départ.

■ abri de la Colombière : galets magdaléniens gravés ■ base de loisirs de l'Île-Chambod ■ Cerdon : vignobles, cuivrerie, monument du Maquis

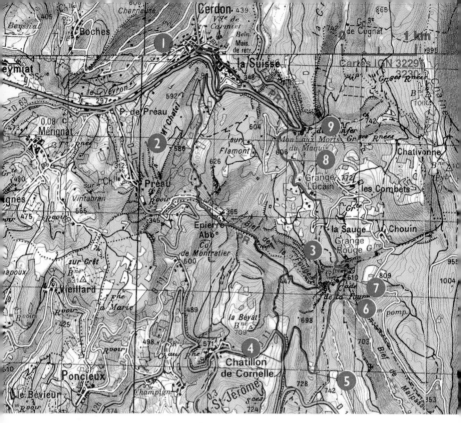

Les cascades de Cerdon

L'un des attraits de ce circuit sera de vous faire parcourir des zones changeantes où l'on passe du vignoble aux gorges, où les ruisseaux bondissent en cascades. L'imposant Cellier d'Epierre vous surprendra. Construit en 1216, il dépendait de la chartreuse de Meyriat. Un bond dans le passé plus proche nous rappelle que le torrent de la Fouge vit s'implanter dès 1427 un nombre important de moulins à papiers. La cascade de La Fouge constitue une étape avant de grimper en direction du canyon de Malpasset. Ce site vit s'installer l'un des premiers camps du maquis. Cette action de la Résistance ainsi que les exactions commises par les nazis dans le village de Cerdon furent déterminantes dans le choix du Val-d'Enfer pour ériger le mémorial dédié aux morts du maquis de l'Ain. Ce monument rappelle le sacrifice des combattants volontaires que le sculpteur Charles Machet a su représenter au travers de cette œuvre. Le retour à Cerdon vous permettra d'admirer les vieilles maisons et, pourquoi pas de visiter la Cuivrerie ou de déguster le rosé pétillant.

Cascade de La Fouge. *Photo C.L.S.*

Les cascades de Cerdon

5h30 • 13 Km

725m
314m

Sur la grande route de Lyon à Genève, au pied d'un col qui effrayait les voyageurs d'autrefois, Cerdon dissémine ses atouts : vignoble, fontaines et cascades, monument aux Morts du Maquis, cuivrerie…

❶ De la place du village, suivre la rue des Maquis. Couper la N 84 et prendre à droite un chemin vicinal qui serpente dans les vignes et mène au col de Crêt-du-Jour.

Alambic. Dessin F.L.

❷ Bifurquer à gauche sur l'ancien chemin d'Epierre et gagner la chartreuse. Remonter le torrent et arriver à une intersection.

▶ Accès à la cascade de la Fouge, par le sentier à gauche *(1,5 km aller-retour)*.

❸ Monter à droite par l'ancien chemin de Châtillon. S'élever par la D 12 à gauche.

❹ S'engager sur le premier chemin vicinal à gauche. Cette desserte forestière mène à une clairière (ancien pré).

❺ Partir à gauche pour trouver et suivre le petit chemin forestier de la forêt du Fournet. Continuer à gauche sur la route empierrée (Nord-Est), en direction de Malpasset.

❻ Dans un virage à droite très prononcé, à hauteur d'un point de vue sur la chartreuse d'Epierre et le vignoble du Crêt-du-Jour, s'engager sur un sentier qui descend au ruisseau de Malpasset et surplombe la cascade du même nom *(site de canyoning)*.

❼ Monter le long du ruisseau sur 150 m, en rive gauche. Le franchir, puis gravir le sentier qui rejoint le chemin des Granges-Rouges. Le descendre à gauche jusqu'à la Grange-Lucain. Emprunter la route à droite jusqu'aux Granges-de-Cépriat et les dépasser de 80 m

❽ Après le virage, s'engager à droite sur un sentier qui descend au monument de la Résistance.

❾ Utiliser à gauche le circuit du Val-d'Enfer qui, par le fond de Ramella, conduit à Cerdon.

Situation Cerdon, à 35 km au Sud-Est de Bourg-en-Bresse par les N 75 et N 84

 Parking place du village

 Balisage jaune

 Difficulté particulière

■ prudence près des cascades et en traversant la N 84 entre ❶ et ❷ puis ❽ et ❾

Ne pas oublier

À voir

 En chemin

■ Cerdon : vignobles, cuivrerie, monument du maquis ■ ancienne chartreuse d'Epierre ■ cascade de la Fouge ■ cascade et canyon de Malpasset

 Dans la région

■ Labalme : grottes du Cerdon

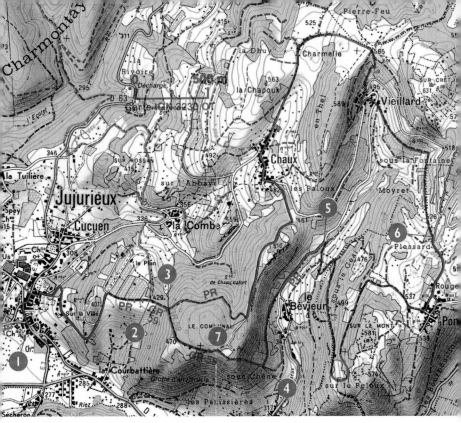

Les soieries C.J. Bonnet

Édifiée dès 1835 à Jujurieux, la manufacture C.J. Bonnet devint l'une des plus importantes soieries de France à la fin du 19e siècle. Le visiteur découvre comment l'entreprise perpétue aujourd'hui, en produisant sur d'anciens métiers à tisser datant du début du 20e siècle le savoir-faire du tissage traditionnel de soieries lyonnaises et principalement

Métier à velours. *Photo Soieries C.J.B.*

le velours sur fond soie. En accès libre aux visiteurs, le musée se veut un témoignage de l'activité passée et présente des soieries C.J. Bonnet ; on y retrouve tous les aspects du «paternalisme» social et des grandes usines (également pensionnats) du 19e siècle. Non seulement didactique, la visite se veut aussi ludique : l'élevage de vers à soie est présenté de mai à octobre ainsi que l'atelier de peinture sur soie.

Accompagné par un guide, le visiteur entre au cœur de la production où tous les savoir-faire de l'entreprise en matière de création, de tissage et de commercialisation des étoffes lui sont montrés et expliqués. Métiers anciens et modernes se côtoient dans l'usine : l'évolution technologique est au rendez-vous de la visite.

Les vignes de Jujurieux

Situation : Jujurieux, à 30 km au Sud-Est de Bourg-en-Bresse par les N 75, N 84 et D 12

Parking place de l'Hôtel-de-Ville

Balisage

1 à 2 rose
2 à 4 blanc-rouge
4 à 3 rose
3 à 2 blanc-rouge
2 à 1 rose

Ne pas oublier

Les soyeux lyonnais ont jadis parsemé le paysage de leurs châteaux sur des coteaux bien exposés où la vigne, elle aussi, se plaît.

1 Emprunter la rue de l'Eglise, la rue C.-J.-Bonnet, puis la rue de la Térèche à droite. A Sur-Plan, tourner à droite.

2 Poursuivre tout droit et gagner une fourche.

3 Bifurquer à droite, traverser le plateau, puis dévaler une forte pente jusqu'à une intersection, sous un noyer.

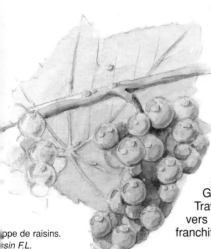

4 Partir à gauche sur le chemin qui descend à flanc. A la sortie du Bévieur, monter une petite route sur 400 m.

5 Obliquer à droite et grimper sur le plateau nommé Sur-le-Mont. Gagner Poncieux. Traverser le hameau vers le Nord. La route franchit un col.

ppe de raisins.
sin F.L.

6 S'engager sur le chemin à gauche. A travers le vignoble, il rejoint Viellard. Suivre, au Nord, un chemin puis un sentier dans les bois en forte pente. Continuer sur un large chemin empierré au milieu des prés. Il conduit à Chaux. Traverser le hameau. Bifurquer à droite et gagner les bois. La route se rapproche des falaises qui dominent Le Bévieur.

7 Obliquer à droite.

8 Aller à droite.

2 Poursuivre tout droit en utilisant l'itinéraire emprunté à l'aller.

À voir

En chemin

■ point de vue sur le Peloux ■ Poncieu : hameau viticole, point de vue ■ Viellard : hameau viticole, point de vue ■ Chaux : hameau viticole, point de vue

Dans la région

■ Jujurieux : visite de l'usine Bonnet ■ Saint-Jean-le-Vieux : château de Varey (propriété privée ouverte la journée du patrimoine) ■ Ambronay : abbaye (festival de musique baroque à l'automne)

Le doux vin de Gravelles

*L*es pentes du Revermont, aujourd'hui envahies par la friche ou la forêt, étaient autrefois presque entièrement couvertes de vignes. Les vieux villages, où chaque maison possède sa propre cave, témoignent de ce passé résolument viticole, mis à mal par l'arrivée du phylloxera, la crise agricole et l'évolution des législations.

Les vignes du pétillant local. *Photo G.B.*

Mais à Gravelles, un petit hameau de Saint-Martin-du-Mont blotti au pied du versant sud de la Croix-de-la-Dent, la tradition a largement survécu, en partie grâce à un terroir exceptionnel. Utilisant le gamay et surtout le poulsard (connu ici sous le nom de «mecle»), un cépage typique du vignoble jurassien, les vignerons locaux donnent naissance à un vin pétillant naturel particulièrement doux.

La Croix de la Dent

6 h
17 Km

555m
300m

Situation Saint-Martin-du-Mont, à 18 km au Sud-Est de Bourg-en-Bresse par la N 75

Parking église

Sur les sentiers de l'un des plus grands rassemblements pédestres du département, vous verrez comment le Revermont opère la liaison entre la Bresse et le Bugey.

① De l'église, partir au Sud.

② Prendre en montée la route du cimetière, puis continuer à travers bois.

③ Poursuivre à flanc, puis couper une route.

④ Continuer. Dès les premières maisons du Fayet, tourner à gauche en angle droit. Le chemin monte puis parcourt une croupe boisée sur 2 km.

⑤ A la fourche, continuer tout droit sur la crête, d'abord vers le Nord, puis vers l'Est et le Sud. Descendre, puis emprunter une route à gauche sur 250 m.

⑥ Grimper à droite et gagner la Croix de la Dent *(555 m ; vue panoramique, pouvant porter jusqu'au Beaujolais vers l'Ouest et jusqu'au massif du Mont-Blanc vers l'Est)*. Descendre au Sud-Est, puis gagner à droite Gravelles *(producteurs de vin blanc pétillant)*. Passer sous une arcade.

▶ Variante : la route à droite permet de retrouver le repère **④**, près de la croix de Vallières *(circuit ramené à 12 km ; voir tracé en tirets sur la carte)*.

⑦ Suivre la route à gauche. Le circuit contourne longuement le bois de la Cha, pratiquement à niveau, puis atteint une route, dans un virage.

⑧ Ne pas l'emprunter, mais s'engager sur un sentier à droite qui mène à Soblay. Traverser le hameau, tourner à droite, franchir une croupe et monter à Confranchette-d'en-Haut. Grimper à droite et retrouver le repère **③**.

③ Aller à gauche et suivre l'itinéraire emprunté à l'aller.

Balisage

① à **②** jaune
② à **⑤** blanc-rouge
⑤ à **③** jaune n° 47
③ à **②** blanc-rouge
② à **①** jaune

Difficulté particulière

■ nombreuses côtes

Ne pas oublier

À voir

En chemin

■ vues panoramiques sur la Bresse et le Bugey ■ hameau de Gravelles : producteurs de vin blanc pétillant

Dans la région

■ Bourg-en-Bresse : quartier ancien (maisons à colombages 15e) ; église, cloître et musée de Brou

Bogues de châtaignes.
Dessin F.L.

Le faucon pèlerin

*D*urement éprouvé par l'emploi des pesticides et par le braconnage sur les nids (pour les besoins de la fauconnerie), le faucon pèlerin *(Falco peregrinus)* n'est plus présent qu'en de trop rares endroits de France. Parmi ceux-ci, les hautes chaînes du Jura... et les falaises de Corveissiat.

Pour le repérer, il faut avoir l'œil. Haut, très haut dans le ciel, il tournoie inlassablement à la recherche de ses proies (des oiseaux pour l'essentiel). Avec son corps plutôt ramassé, ses ailes pointues légèrement repliées vers l'arrière, en forme de faucille disent les ornithologues, il se joue des vents et des courants ascendants.

Mais lorsqu'il attaque en piqué, il se transforme en une véritable bombe, capable, dit-on, d'atteindre des vitesses record de 250 à 300 km/h !

Faucon pèlerin. *Dessin F.L.*

Les falaises de Châtillon

1 h 30
4 Km

532m
443m

Situation Corveissiat, à 26 km à l'Est de Bourg-en-Bresse par la D 936

 Parking centre du village

 Balisage

1 à 5 jaune
5 à 2 non balisé
2 à 1 jaune

Difficulté particulière

■ bord de falaise (en option, hors itinéraire) entre 3 et 4

Des falaises qui offrent plusieurs points de vues à couper le souffle, sur la rivière qui a donné son nom au département.

L'hermine. *Dessin F.L.*

1 Emprunter la rue qui domine le parking. Partir à gauche (Sud) et couper la D 936. Prendre le chemin en face sur 500 m.

2 Obliquer à gauche sur un sentier qui se faufile dans les buis pour atteindre une intersection au sommet des falaises.

▶ On peut accéder au bord de la falaise, en allant à gauche *(vues plongeantes sur l'Ain qui coule 250 m plus bas)*.

3 Aller à droite (Sud) et gagner une nouvelle intersection.

▶ On peut accéder au bord de la falaise, en partant à gauche *(vues plongeantes sur l'Ain qui coule 250 m plus bas)*.

4 Descendre à droite.

5 Juste avant d'arriver à une route, tourner à droite et retrouver le repère 2.

2 Suivre l'itinéraire emprunté à l'aller pour rejoindre le parking.

À voir

 En chemin

■ points de vues sur la vallée de l'Ain

Dans la région

■ Saint-Maurice-de-Chazeaux : chapelle 13e, point de vue sur l'Ain
■ Arnans : calvaire sculpté 15e ■ vallée de l'Ain

Le village de Corveissiat, vu de la reculée. *Photo M.B.*

Les monts Berthiand

5 h
19 Km

782m
496m

Situation Nurieux, à 30 km à l'Est de Bourg-en-Bresse par la D 979

Parking mairie

Balisage bleu

Difficulté particulière

■ prudence pour la traversée de la D 979 entre ❻ et ❼

Ne pas oublier

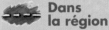

Le renard roux. *Dessin F.L.*

Aux portes de la « Plastic Vallée », des petits villages dans un écrin de verdure.

❶ Laisser la mairie à gauche et prendre le chemin à droite du parking. Gagner Volognat.

❷ Descendre à gauche pour traverser le village *(fontaines d'eau potable)*. Suivre la D 11 sur 150 m. A la croix, bifurquer à gauche puis à droite. Laisser deux voies à gauche et continuer en montant jusqu'à Peyriat. Traverser le village.

❸ A la sortie de Peyriat, prendre à gauche la petite route de Giriat jusqu'à un « tir aux pigeons ».

❹ Tourner à droite, traverser une forêt, puis longer l'A 40. Couper la D 11 et continuer tout droit jusqu'à mi-côte.

❺ Obliquer à droite sur un large chemin et gagner Etables. Emprunter la voie à droite (Nord).

❻ Prendre le chemin à gauche qui continue au Nord, pratiquement à niveau sur 5 km. Atteindre Berthiand (col sur la route Nantua-Bourg). Suivre la D 979 à droite sur 200 m *(prudence)*, puis utiliser la route à gauche.

❼ Au carrefour, virer à droite et descendre en lacets sur Volognat.

❷ Suivre l'itinéraire emprunté à l'aller pour retrouver Nurieux.

À voir

En chemin

■ Etables : chapelle 12e-15e

Dans la région

■ Nantua : abbatiale Saint-Michel, maisons anciennes, musée de la Résistance, gastronomie ■ Izernore : temple de Mercure, musée archéologique ■ Mornay : chapelle

Le viaduc de Cize-Bolozon

Construit entre 1872 et 1875, ce viaduc, ferroviaire et routier, fut presque entièrement détruit par le maquis le 12 juillet 1944 (brèche de plus de 200 mètres de longueur sur une hauteur atteignant 52 mètres au-dessus du niveau de l'eau). La reconstruction commença le 2 janvier 1947. Les fondations furent réalisées en béton dans des batardeaux (digues) en palplanches métalliques et les dix piles furent édifiées en maçonneries avec parements et chaînes d'angle en pierre. Les voûtes ont plus de 20 mètres de portée. Les matériaux étaient approvisionnés par un chariot transbordeur sur câbles, en particulier les voussoirs en pierres de taille des bandeaux de voûtes pesant plus d'une tonne chacun. Plus de 10 000 mètres cubes de maçonnerie furent ainsi mis en œuvre. Le premier train franchit l'ouvrage le 14 mai 1950.

Le viaduc de Cize-Bolozon. *Photo J.B.*

Erythrone Dent-de-chien

Cette petite liliacée vit en montagne, entre 300 et 2 000 m d'altitude, dans les prés et les landes ou les sous-bois, au soleil ou à mi-ombre. On la trouve également dans les Alpes et les Pyrénées, plus rarement dans le Massif central et les Cévennes. D'un rose pourpré tacheté de blanc, les fleurs s'épanouissent entre mars et juin. La grâce de ces fleurs s'allie à l'étrangeté des deux feuilles qui embrassent le bas de la tige pour s'allonger en un limbe ovale d'un vert foncé tacheté de rouge et parfois de blanc. Feuilles et fleurs évoquent certains cyclamens. Sa multiplication naturelle se fait aisément par les caïeux qui naissent sur les bulbes et qui, à leur tour, deviendront des bulbes. *Erythronium* vient du grec *eruthronion* qui désignait certaines orchidées aphrodisiaques. Linné s'est inspiré de ce nom à cause des feuilles tachetées de rouge ; *eruthronion* venant de *eruthros* qui signifie « rouge ». Le nom d'espèce *dens canis* et le nom vernaculaire Dent-de-chien qui en est la traduction font allusion à la forme des bulbes, celle d'une dent de chien, plus précisément d'une canine.

Erythrone dent de chien.
Dessin F.L.

LANGLAIS

Quenelles de brochet à la sauce Nantua

*I*ngrédients pour 30 quenelles : 1 brochet de 1,5 kg, 16 œufs, 300 g de beurre, 1 litre de lait, 650 g de farine, écrevisses, crème, sel poivre

*R*ecette :
Lever le brochet et le passer à la machine à hacher. Faire une panade comme pour une pâte à choux, mais avec du lait. Faire refroidir puis y incorporer le brochet. Laisser reposer une nuit au réfrigérateur. Rouler les quenelles sur le marbre en prélevant la valeur d'une cuillère à soupe. Les pocher un quart d'heure à frémissement et laisser refroidir. Préparer la sauce Nantua en faisant une bisque avec des écrevisses. Ajouter la crème. Saler et poivrer.

Pour servir : faire pocher les quenelles à petite ébullition ; lorsqu'elles sont gonflées, les égoutter, les dresser sur l'assette et napper avec la sauce Nantua.

Vue sur le lac de Nantua. *Photo R.T.*

La roche d'Au-Delà

4 h
11 Km
 1127m / 475m

Un paysage jurassien typique, le lac de Nantua, enchâssé dans la cluse et rehaussé du viaduc vertigineux de l'autoroute Blanche.

Situation Nantua, à 38 km à l'Est de Bourg-en-Bresse par les D 979 et N 84

❶ De l'office du tourisme (ancienne gare), prendre la rue Dr-Grézel à gauche, puis la première rue à gauche et franchir la voie ferrée désaffectée. Emprunter à gauche la route qui, au pied de la montagne, longe le stade de football puis le camping et atteint un carrefour marqué par une Vierge.

P **Parking** office de tourisme

 Balisage

❶ à ❹ bleu
❹ à ❺ bleu-jaune
❺ à ❶ bleu

❷ S'engager en face sur un large chemin qui monte en lacets sur plusieurs kilomètres *(vue sur le viaduc autoroutier dans le troisième lacet).*

❸ Peu avant une ferme en ruines, quitter le large chemin et s'élever à droite par un sentier qui permet d'atteindre le sommet des falaises. En haut, obliquer à droite et atteindre le signal des Monts-d'Ain (1157 m).

Ne pas oublier

❹ Descendre en pente douce le long du rebord du plateau de Chamoise.

 **À voir**

❺ Partir à droite sur le chemin qui passe aux Doigts du Diable *(vue plongeante sur le lac de Nantua)* et descend à flanc de falaise.

En chemin

■ Nantua : lac ■ belvédères des Monts-d'Ain : points de vue sur le Haut-Bugey, le Grand Colombier et le . Mont-Blanc ■ roche d'Au-Delà ■ Doigts du Diable

❷ Emprunter l'itinéraire utilisé à l'aller pour retrouver l'office du tourisme.

Dans la région

■ Nantua : abbatiale Saint-Michel, maisons anciennes, musée de la Résistance, gastronomie ■ Lalleyriat : tourneurs sur bois (MM. Marquès et Vion-Dury) ■ Charix : lac Genin ■ Bellegarde-sur-Valserine : Pertes de la Valserine

Chevreuil. *Dessin F.L.*

Le lac Genin

Au cœur des forêts rafraîchissantes du haut Bugey, le lac Genin, blotti au creux d'un petit vallon aux pentes couvertes de prairies et de bois épais, s'offre en été comme un havre de paix. Ses berges ombragées se prêtent idéalement à la flânerie ou au pique-nique, tandis que ses eaux claires, régulièrement renouvelées par des sources immergées, sont une véritable invitation à la baignade, à la pêche ou au canotage. En hiver, rudesse du climat aidant, c'est le patinage qui prend le relais sur sa surface gelée : dans un

Le lac Genin. *Photo Ph.B.*

cadre aussi somptueux, l'exercice ne manque pas de charmes ! Pour les plus intrépides, notons enfin la possibilité de pratiquer la plongée sous la glace.

Le lac Genin

6 h
16 Km
983m
565m

Situation Oyonnax, à
48 km à l'Est de Bourg-en-
Bresse par les D 979 et
D 984D

 Parking près de
l'institut médico-
pédagogique Les
Sapins (quartier de
Nierme)

 Balisage
jaune

Comment concilier une capitale industrielle, celle de la «Plastic Vallée», avec un grand bol d'air pur au milieu des résineux.

❶ Prendre, près de l'institut médico-pédagogique, le chemin du Serfin et s'élever en pente assez raide dans la forêt en direction du Sud *(plusieurs points de vues permettent parfois de découvrir le mont Blanc, notamment du point coté 961)*. Le sentier débouche dans des prés et rejoint une petite route près d'Ablatrix. La suivre à gauche sur 1 km.

❷ La quitter en pleine descente, pour un chemin à gauche. Emprunter la route à droite et continuer par la D 95 pour gagner Apremont-le-Grand-Vallon. Dans le hameau, aller deux fois à gauche puis deux fois à droite.

❸ Après les dernières maisons, quitter la route et se diriger vers une côte. Grimper la pente raide et accéder à un plateau. Virer à gauche, prendre une route à droite sur quelques mètres et continuer à gauche. Rejoindre un carrefour situé sur la crête qui domine le lac.

▶ Accès au lac par un sentier en descente rapide qui rejoint la route près d'une auberge. Possibilité de réaliser le tour complet du lac.

Ne pas oublier

❹ Continuer au Nord. Par une succession de larges chemins, le plus souvent en forêt *(bien suivre le balisage)*, regagner les abords de la ville après avoir coupé un parcours-santé. Arriver à un carrefour.

❺ Poursuivre tout droit pour traverser des jardins. Longer par la gauche un réservoir surmonté d'une antenne et entrer dans la ville. Passer le foyer SONACO-TRA, descendre la rue du Stand, longer les services techniques municipaux, puis un lycée. Continuer tout droit pour arriver place de la Croix-Rousse. Tourner à gauche et prendre à droite la rue du Muret qui descend sur un rond-point. Emprunter en face la rue Louis-Pasteur sur 300 m pour arriver à un carrefour avec la rue principale à côté d'un commissariat de police. De là, suivre les panneaux de signalisation indiquant IME qui ramènent au parking de départ.

À voir

 **En chemin**

■ lac Genin (patinage en hiver)

 Dans la région

■ Oyonnax : musée du Peigne et de la Plasturgie

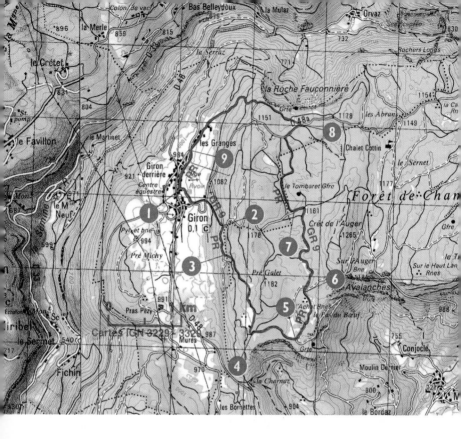

La nature à pleins poumons

Premier obstacle aux vents du nord-ouest, le Jura est abondamment arrosé. L'herbe y pousse à toutes les altitudes et fait le bonheur des troupeaux. Ces prairies, comme les sous-bois, se colorent au printemps de myriades de fleurs peu communes aux couleurs vives : orchidées, lys martagon, etc. La nature est très présente ; avec un peu de chance on pourra surprendre un chamois au pâturage, apercevoir le grand tétras ou observer une empreinte de lynx. La forêt mixte occupe une grande partie de l'espace ; elle est constituée d'espèces d'arbres variées : mélange de résineux (sapins et épicéas) et de feuillus (hêtre, érable, etc.). Cette forêt est gérée sur tout le domaine communal par l'Office national des Forêts. Le paysage varié reflète encore l'occupation de l'espace par l'homme : alternance de forêt et prairies, quelques ruines de fermes d'alpage ici ou là : Cinq-Chalets, L'Achat.

Ancolie. *Photo R.T.*

La Forestière

3 h
10 Km

1161m
1000m

Au cœur du Parc naturel régional du Haut-Jura, la forêt de Champfromier vous réserve d'agréables surprises, grâce à ses nombreux points de vues sur les gorges de la Semine et de la Valserine.

Situation Giron, à 17 km au Nord-Est de Nantua par les N 84, D 33 et D 55a

 Parking centre accueil montagnard (centre du village)

Balisage

❶ à ❷ blanc-rouge
❷ à ❻ jaune
❻ à ❼ blanc-rouge
❼ à ❶ jaune

❶ Du Centre Accueil Montagnard, suivre la route en direction de la Pesse sur 300 m. A la sortie du virage, s'engager sur le chemin empierré qui monte à gauche. Devant l'ancienne ferme, couper la D 48a et emprunter le chemin en face. Il rejoint la route forestière du Chemin-Neuf.

❷ Utiliser la route empierrée qui part à droite et à niveau, sur 300 m.

❸ Monter à gauche et suivre les pistes de ski de fond jusqu'au panneau *Les-Cinq-Chalets (point de vue sur la partie Sud du Jura)*. Descendre la prairie à gauche *(balisage des pistes de ski de fond)*, entrer dans le bosquet de hêtres et prendre le virage à gauche qui amène devant les ruines d'une maison.

❹ S'orienter vers l'Est, puis suivre à droite les pistes de ski de fond rouge et noire à travers forêt et clairière. En bas d'une descente, arriver sur un chemin carrossable.

❺ L'emprunter à gauche sur 250 m, puis monter à droite un chemin qui conduit au lieu-dit L'Achat *(point de vue sur la haute chaîne du Jura, le Crêt de Chalam, le cirque des Avalanches...)*. Poursuivre jusqu'à la route forestière.

❻ Tourner à gauche, puis se diriger à droite vers la maison forestière du Pré-Drizet.

❼ Continuer sur la piste verte, puis emprunter la D 48a à droite sur 250 m.

❽ Près de l'épicéa isolé, monter le chemin à gauche *(point de vue de la Roche-Fauconnière)*. Le chemin descend. Poursuivre la descente sur la route, à la sortie de la forêt *(point de vue sur la vallée de la Semine, la prairie d'Echallon...)*.

❾ Au Crêtet, choisir la route à gauche pour retrouver le Centre Accueil Montagnard.

Ne pas oublier

À voir

En chemin

■ panorama de L'Achat : haute chaîne du Jura, Crêt de Chalam, vallée de la Valserine, cirque des Avalanches
■ point de vue de la Roche Fauconnière : Crêt de Chalam, village d'Orvaz, panneau d'interprétation géologique

Dans la région

■ Giron : station de ski de fond ■ borne au Lion (ancienne borne-frontière) ■ Lajoux : maison du Parc Naturel Régional du Haut-Jura

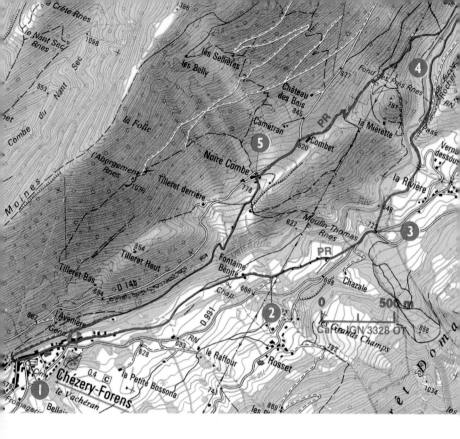

La Valserine, torrent jurassien

La Roche Franche. *Photo G.B.*

*D*escendant des hauts sommets jurassiens, la Valserine a profondément taillé la montagne pour rejoindre le Rhône, formant au passage une impressionnante série de gorges.

Ne vous fiez pas trop au gros ruisseau qui serpente dans les prairies humides vers Mijoux et Lélex. Car quelques kilomètres plus loin, il s'engage dans une folle descente vers Bellegarde, digne des plus beaux torrents alpins. En vous arrêtant au pont du Diable (entre Chézery et Pont-des-Pierres), vous aurez un aperçu du travail accompli par la Valserine au fil des siècles. Ses eaux froides et toujours un peu vertes, particulièrement vives en truites sauvages, actionnaient d'ailleurs quantité de moulins par le passé ; la plupart ont aujourd'hui disparu.

Le Pont du Diable

820m / 580m

Situation Chézery-Forens, à 17 km au Nord de Bellegarde par la D 991

 Parking centre du village

 Balisage bleu

La toponymie des lieux-dits nous rappelle que la superstition était très prisée autrefois en montagne. Alors faites quelques pas entre le Bien et le Mal, entre la fontaine Bénite et le Pont du Diable.

❶ Aller en direction de la gendarmerie. Passer devant l'immeuble, puis continuer sur le chemin. Arriver dans des prés, longer la Valserine *(ancienne voie conduisant à Lélex)* et, après de grands arbres, laisser une petite chapelle à droite *(chapelle Saint-Roland, patron de Chézery)*. Franchir plusieurs barrières *(prendre soin de les refermer)* et gagner la ferme de la Fontaine-Bénite. Passer entre les deux bâtiments pour retrouver le chemin empierré qui monte.

❷ Dans l'épingle à cheveux, poursuivre tout droit sur 500 m, puis longer dans les pins la D 991 sur 200 m en direction de Lélex.

Ne pas oublier

❸ Dans les prés, sous le hameau de La Rivière, partir à gauche. Descendre la route qui mène aux Rochers des Hirondelles. Laisser la première passerelle à gauche, longer la Valserine sur 1 km en négligeant les chemins qui montent. Arriver à un pont en pierre, appelé le pont du Diable.

❹ Franchir le pont et s'engager de l'autre côté sur un sentier très abrupt qui monte en sous-bois et conduit à une prairie sous la maison du Fond-des-Prés (partiellement ruinée). La contourner pour retrouver le chemin. Monter et arriver derrière la maison. Gagner Combet puis Noire-Combe, par la route.

À voir

❺ Face de la maison du Chevrier, utiliser le chemin qui descend entre les maisons du hameau à gauche. Il ramène, par la vallée, au point de départ.

 **En chemin**

■ Chézery : église, fromagerie ■ vallée de la Valserine ■ chapelle et source de Fontaine-Bénite ■ Pont du Diable

Dans la région

■ Menthières : station de ski ■ Montanges : le Pont des Pierres ■ Léaz : le Fort l'Ecluse ■ Bellegarde : Pertes de la Valserine

Sapin. *Dessin F.L.*

Le Crêt de la Neige

Loin des routes, ce sentier vous emmène aux plus hauts sommets du massif du Jura et du département de l'Ain, pour y admirer la vallée de la Valserine, le lac de Genève et le massif du Mont-Blanc.

① De l'office du tourisme, prendre la direction *Crêt de la Neige par les Mars* et monter jusqu'au chalet Armion *(1187 m, replat avec vue sur les plissements du Jura et les paysages des Molunes et de Bellecombe)*. Partir à droite et arriver à une intersection.

Le sabot de Vénus. *Dessin F.L.*

② Continuer en direction du crêt de la Neige jusqu'à une fourche en amont du chalet du Ratou.

③ Laisser à droite le sentier qui part vers le crêt de la Neige et aller à gauche en direction du col de Crozet. Gagner le refuge de la Loge (1436 m).

④ Poursuivre par une longue montée. Passer sous une clôture qui barre le sentier et parcourir la ligne de crête à droite. Se faufiler dans un canyon où la neige persiste parfois tout l'été et arriver au crêt de la Neige (1718 m). Continuer au Sud sur 1 km *(ruines d'un ancien village d'altitude)* et trouver une intersection.

⑤ Poursuivre sur 200 m et atteindre le sommet du Reculet (1717 m ; croix), puis revenir.

⑤ S'engager sur le sentier à gauche qui conduit à l'ancien chalet d'alpage de Thoiry-Derrière (1591 m). Continuer et descendre en suivant la direction *Plat des Menues*. Au Plat des Menues, traverser la D 991 et longer le bas-côté sur 200 m jusqu'à la colonie de vacances du Niaizet.

⑥ Passer derrière le bâtiment et prendre un large chemin qui descend jusqu'à la Valserine. Franchir la rivière, puis emprunter le large chemin qui la longe.

⑦ Poursuivre sur la route.

⑧ Continuer vers le point de départ.

---

6 h
16 Km

1717m
849m

Situation Lélex, à 28 km au Nord de Bellegarde par la D 991

 Parking office du tourisme, bâtiment du télécabine

Balisage

① à **②** jaune-rouge
② à **⑤** blanc-rouge
⑤ à **⑦** jaune
⑦ à **⑧** blanc-rouge
⑧ à **①** jaune-rouge

 Difficulté particulière

■ chiens interdits (réserve naturelle)

Ne pas oublier

À voir

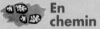 **En chemin**

■ Crêt de la Neige et Reculet : les deux plus hauts sommets de la chaîne du Jura ■ flore de la pelouse subalpine : pins à crochets… ■ réserve naturelle du Haut-Jura

Dans la région

■ col de la Faucille ■ stations de ski de Lélex et Mijoux ■ Chèzery-Forens : fromagerie

Canyon et pins à crochets

Pins à crochet. *Photo B.L.*

Parvenu sur le toit du Jura, force est de constater que le Crêt de la Neige cache décidément bien son jeu. «Montagne à vaches» peut-être, mais qui refuse cependant de se laisser conquérir trop facilement. Les sentiers rocailleux et étroits qu'il propose ne se rencontrent pas systématiquement sur les autres sommets du massif. On y croise le genévrier nain, les rhododendrons et les busseroles, l'anémone pulsatile (anémone des Alpes), l'orchis vanillé, le lys de saint Bruno, la dryade à huit pétales, la gentiane jaune, la joubarbe…

Mais l'arête sommitale réserve bien d'autres surprises. Décidément très tourmenté, le Crêt de la Neige vous incitera à plonger dans son «canyon» : défilé rocheux grandeur nature et trou à froid, où la neige est encore souvent présente en été. Et puis surtout, il vous séduira par la présence de ses pins à crochets, spécimens uniques dans le Jura français. En cas de brouillard, attention également à ces «lapiaz» qui débouchent parfois sur de véritables petites crevasses. Les mauvaises conditions météorologiques constitue d'ailleurs le risque essentiel pour celui qui parcourt les Monts Jura. Les orages et la brume, les «jours blancs» de l'hiver, peuvent surprendre sur ces crêts isolés où les abris sont rares et où il est difficile de demander du secours. Entre le nord de Colomby de Gex et le mont Rond, signalons aussi la falaise qui tombe à pic, cerclant la dépression du Creux de l'Envers. Du pas de l'Echine, le coup d'œil est impressionnant. Le chalet des Platières semble protéger cet écrin de roches, habité des seuls chamois.

Petite histoire d'orchidée

C'est grâce à la diversité de ces paysages et de ces conditions climatiques que l'Ain accueille au sein de sa flore soixante espèces d'orchidées sauvages. De l'orchis sureau, des alpages jurassiens, en passant par l'ophris bourdon, l'ophris singe, ou encore l'orchis militaire, le promeneur attentif sera surpris par la complexité de cette fleur dont la beauté en fait parfois oublier la fragilité. Ne l'effleurez que du regard !

Canyon du Crêt de la Neige. *Photo B.L.*

Orchis Morio.
Photo R.A.

La forêt jurassienne

Le bois a toujours tenu une grande place dans les paysages jurassiens. A l'origine, la région était d'ailleurs entièrement couverte de forêts. Les feuillus (hêtre, chêne, merisier, bouleau...) occupaient les pentes les plus basses, tandis que les résineux (épicéa en particulier) régnaient en maîtres sur les hauteurs au climat plus rude. Le défrichement entrepris par les moines au Moyen Age a permis l'installation des hommes qui, pour la plupart, ont vécu du bois. Fabrication de jouets et d'outils en bois, utilisation de «tavaillons» (plaquettes de bois superposées) pour protéger les façades des maisons, sont autant de traditions qui remontent à cette lointaine époque. En raison de la crise agricole, la forêt est en plein renouveau.

Exploitation forestière à Champfromier. *Photo G.B.*

Le cirque des Avalanches

Cet itinéraire effectue un demi-cercle autour d'un cirque typiquement jurassien.

Situation Champfromier, à 18 km au Nord de Bellegarde par les N 84 et D 14

Parking près de la poste

 Balisage

❶ à ❷ jaune
❷ à ❸ jaune-rouge
❸ à ❹ jaune
❹ à ❺ blanc-rouge
❺ à ❶ jaune

❶ De la poste, prendre, vers l'Ouest, une petite route qui longe le stade, passe devant une chapelle puis l'église. Monter au hameau de Communal en coupant plusieurs routes.

❷ A l'entrée du hameau, emprunter à droite une route, à travers les pâturages. Traverser un bois, puis continuer sur un large chemin caillouteux qui, par le pas du Bœuf, débouche dans la forêt de Champfromier (1130 m).

Le grand corbeau.
Dessin F.L.

Ne pas oublier

❸ Obliquer à droite à deux reprises, passer au lieu-dit L'Achat *(point de vue sur la haute chaîne du Jura, le crêt de Chalam, le cirque des Avalanches...)*, puis atteindre une intersection.

❹ Partir à droite et gagner le chalet de l'Auger.

❺ Descendre à droite la petite route des Avalanches *(vues sur les Préalpes du Nord et le lac du Bourget)*.

❻ Dans un lacet, obliquer à droite pour descendre à vue sur le hameau de Monnetier. A l'entrée, prendre la route à gauche, puis aller deux fois à droite. Par la petite route, passer le cimetière et, par le premier chemin à gauche, retrouver le point de départ.

À voir

En chemin

■ Communal : village ancien
■ cirque des Avalanches
■ point de vue de L'Achat
■ Monnetier : village ancien

Dans la région

■ Montanges : Pont des Pierres ■ vallée de la Valserine ■ Bellegarde : pertes de la Valserine

amanite tue-
ouches. *Dessin F.L.*

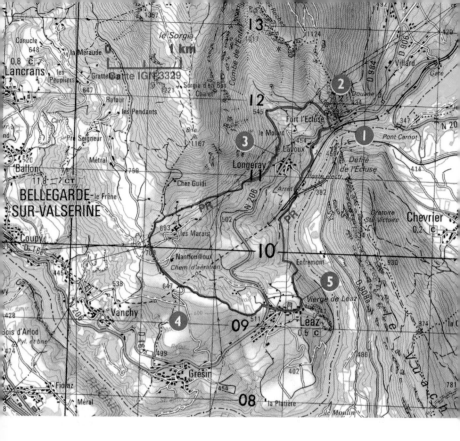

Le Fort-l'Ecluse

Aux confins du Pays de Gex et du Genevois, le défilé de l'Ecluse formé par le Rhône est aujourd'hui traversé par la voie ferrée et pas moins de deux routes, qui longent librement le fleuve. Mais jusque dans un passé assez récent, cette voie hautement stratégique, taillée entre le Crêt d'Eau et la montagne du Vuache, a fait l'objet d'intenses rivalités, comme en témoigne la présence du Fort-l'Ecluse, plusieurs fois modifié ou agrandi au fil des siècles.

La construction actuelle comprend deux forts, reliés par une galerie souterraine qui compte 1 165 marches. Erigés au début du 19e siècle, ils étaient encore occupés pendant la dernière guerre. Désormais abandonnés par l'armée, ils ont fait l'objet d'importants travaux de rénovation et sont plus pacifiquement dévolus au tourisme.

Le défilé de l'Ecluse. *Photo J.F.T.*

Le Fort l'Ecluse

3 h 45
11 Km

730m
363m

Situation Fort-l'Ecluse, à 10 km à l'Est de Bellegarde par la N 206

Parking fort d'En-Bas

Balisage jaune

Lancez-vous à l'assaut du Fort l'Ecluse, accroché à la falaise, et surplombant de plus de deux cents mètres, le défilé de l'Ecluse.

① Du parking, traverser la N 206 et gravir le très raide sentier qui débouche sur la petite route d'accès au fort supérieur.

▶ Accès au fort en suivant la route à droite *(visite possible)*.

② Descendre la route en direction de Longeray.

③ Au-dessus du village, s'engager sur un chemin qui monte à droite vers la ferme des Marais. Contourner celle-ci par le haut et redescendre.

④ Laisser à droite le chemin qui descend à Grésin, puis couper la N 206 *(prudence)*.

▶ Panorama sur le défilé de l'Ecluse en effectuant un petit détour sur la gauche.

Descendre à l'église de Léaz. Continuer dans le village en tirant à gauche par le chemin des Moulins. Passer à quelques pas de la Vierge de Léaz *(point de vue)* qui domine les ruines du château médiéval.

Ne pas oublier

⑤ Le chemin descend au bord du Rhône et traverse le site des moulins de Condière avant de revenir au parking.

Le milan noir.
Dessin F.L.

À voir

En chemin

■ forts inférieur et supérieur de Fort-l'Ecluse ■ Léaz : moulins de Condière 15e

Dans la région
■ Genève et le lac Léman
■ Grésin : pont

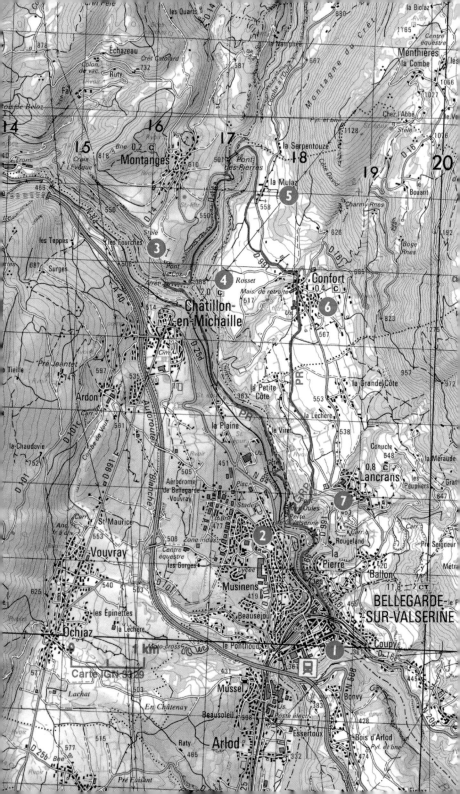

Carte IGN 5-29

La vallée de la Valserine

5h30
17 Km

556m
360m

Situation Bellegarde, à 18 km à l'Est de Nantua par la N 84

 Parking près du viaduc ferroviaire

 Balisage

1 à **2** jaune-rouge
2 à **7** jaune
7 à **1** jaune-rouge

Promenade variée qui permet de mieux connaître les deux torrents mais également les phénomènes géologiques (gorges, pertes, marmites de géants), et les activités humaines que leur puissance a engendrées : barrages, micro-centrales…

Moulin sur la Valserine.
Dessin F.L.

 Difficulté particulière

■ danger pendant les périodes de crues ou de verglas entre **2** et **3**

Ne pas oublier

1 Du viaduc ferroviaire, remonter le long de la Valserine par la rive droite. A Métral, passer sur la rive gauche et atteindre les pertes.

2 Aller sur la rive droite et continuer sur 4 km. Suivre un affluent, la Semine, et la franchir par le pont de Coz.

3 Partir à droite et se diriger vers le pont de Confort.

▶ Accès possible à la Mêlée des Eaux *(10 mn)*.

4 Ne pas passer le pont de Confort, mais tourner à gauche et poursuivre le long de la vallée. Gagner, par une très raide montée, la D 14a. L'emprunter à droite, franchir la vallée au pont des Pierres et continuer vers Confort.

5 S'engager à droite sur la voie du Tram, puis poursuivre sur la D 991. Traverser Confort.

 À voir

6 Après la maison de retraite, reprendre à droite l'ancienne voie du Tram. Elle mène à une intersection près de Lancrans.

 En chemin

■ Perte de la Valserine
■ Mêlée des Eaux ■ pont des Pierres ■ aspects du karst

7 Bifurquer à droite, puis descendre à droite pour retrouver les pertes de la Valserine.

 Dans la région

■ Génissiat : barrage
■ Seyssel : vignoble
■ plateau de Retord

2 Par l'itinéraire emprunté à l'aller, rejoindre Bellegarde.

La truite fario. *Dessin F.L.*

Les « pertes » de la Valserine

A quelques minutes du centre de Bellegarde, la Valserine aux eaux vertes forme un site impressionnant à l'endroit de ses «pertes», auxquelles on accède par un joli sentier qui descend dans les sous-bois. En creusant profondément la roche calcaire au fil des millénaires, la rivière a en effet créé un défilé très étroit, dans lequel elle s'engage en franchissant une cascade.

Sur toute cette portion, comparable à une saignée dans la roche, la Valserine coule avec violence. Sur 300 à 400 mètres de long, elle se «perd» même entièrement sous la pierre, qui forme alors un pont naturel autrefois emprunté par les contrebandiers. En surface, l'érosion a formé de nombreuses «oulles» ou «marmites de géants», qui sont de grands trous plus ou moins circulaires percés dans la roche, dont certains laissent entrevoir la rivière tumultueuse en contrebas.

Pour l'anecdote, on peut noter qu'il existait autrefois un site comparable sur le Rhône. Il est malheureusement noyé depuis plusieurs décennies dans la retenue du barrage de Génissiat.

Le bleu de Gex

Moins connu que le prestigieux comté ou le bleu de Bresse, le bleu de Gex est protégé par une appellation d'origine contrôlée depuis 1935. Il faut dire que sa production, de l'ordre de 500 tonnes par an, reste sans doute trop faible pour imaginer une commercialisation et une promotion à grande échelle. Produit entre autres dans la vallée de la Valserine, ce délicieux fromage à pâte persillée, comme disent les spécialistes, restera donc réservé aux initiés.

Les secrets de sa fabrication remontent à des temps très anciens. On dit même que la recette a été imaginée par les moines de l'abbaye de Condat (Saint-Claude aujourd'hui) dans le département du Jura, dont l'influence s'étendait au Moyen Age sur tout le massif jurassien.

Obéissant à des règles très strictes, sa fabrication et son affinage font aujourd'hui la belle part aux méthodes traditionnelles et au lait très parfumé produit par les troupeaux des alpages jurassiens.

Bleu de Gex.
Photo A.P.

Les Pertes de la Valserine. *Photo J.F.T.*

Les alpages jurassiens

Cirque de Branveau. *Photo J.D.*

L a haute chaîne du Jura garde une très forte tradition laitière, comme en témoignent la richesse et l'abondance de la production fromagère. Dans les basses vallées, les bêtes sont conduites quotidiennement dans les pâtures. Mais pour les prairies d'altitude qui constituent les alpages jurassiens, on assiste toujours à une sorte de transhumance.

Les vaches, qui arrivent au début juin et repartent fin septembre ou début octobre, profitent ainsi pendant quatre bons mois des herbages qu'on rencontre en altitude, au-dessus de 1 300 mètres approximativement. Ici, la forêt laisse naturellement la place à des landes herbeuses et parfois caillouteuses, tellement battues par les vents et tellement froides en hiver que seuls de petits pins à crochets parviennent à se développer çà et là.

Le Colomby de Gex

7 h
21 Km

1688m
598m

Le bassin du Léman aux pieds, le Jura de l'autre côté et le massif du Mont-Blanc sur l'horizon.

❶ Sortir du parking pour traverser la N 5 *(prudence)*. Prendre la rue du Château et descendre le chemin de la Chenaillette. En bas des escaliers, emprunter à droite la rue Léonne-de-Joinville, puis la rue de l'Etraz sur 100 m. Suivre à droite le chemin des Galas, passer le carrefour avec le chemin des Hutins, puis continuer 100 m.

❷ S'engager à gauche sur le chemin jusqu'à la ligne électrique. Continuer tout droit et prendre le sentier des Gardes. Descendre à droite la route forestière sur 50 m, puis emprunter le sentier à gauche et gagner le chalet de Branveau.

▶ Variante : possibilité de rejoindre directement le repère ❼ par un cheminement à flanc de montagne *(voir tracé en tirets sur la carte)*.

❸ Après le chalet, prendre à gauche le sentier du Cirque-de-Branveau. A la sortie du cirque, obliquer à l'Ouest et gagner, à travers les pâturages, le mont Colomby-de-Gex (1688 m).

❹ Du sommet, parcourir la ligne de crête jusqu'au mont Rond (1596 m). *Possibilité d'observer des chamois au pied des falaises du chalet des Platières.*

❺ Laisser un chemin à gauche et poursuivre par le chemin de crête. Passer la ligne électrique et continuer 100 m.

❻ Descendre à droite le chemin de la Vie-de-Chaux. En bas, emprunter à droite le large chemin et gagner le chalet de la Quible. Poursuivre jusqu'aux Places-Menoud (1146 m).

❼ Descendre à gauche la route forestière jusqu'à la ligne électrique.

❽ Dans un virage, s'engager à droite sur un sentier qui rejoint la route forestière des Séblines. L'emprunter à gauche jusqu'à la route du Creux-de-l'Envers.

❾ Après La Noyelle, utiliser à droite le chemin de Coupe-Jarret qui rejoint la rue de Rogeland. Retrouver le centre de Gex.

Situation Gex, à 40 km au Nord-Est de Bellegarde par les N 206 et D 984

Parking place de Perdtemps

 Balisage

❶ à ❹ jaune
❹ à ❺ blanc-rouge
❺ à ❶ jaune

  Difficulté particulière

■ chiens interdits (réserve naturelle) ; circuit impraticable en période de neige (parfois jusqu'au début de juin)

Ne pas oublier

À voir

En chemin

■ réserve naturelle de la Haute-Chaîne-du-Jura (faune, flore à respecter impérativement)
■ panorama
■ Portes Sarrazines

 **Dans la région**

■ col de la Faucille ■ Ferney-Voltaire : château de Voltaire
■ vallée de la Valserine
■ Genève

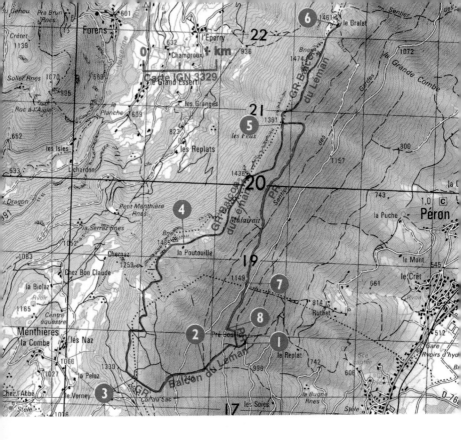

La réserve naturelle de la Haute-Chaîne

Créée en 1993, la réserve naturelle de la Haute-Chaîne du Jura englobe, sur 10 000 hectares, tout un chaînon calcaire couvert de forêts et d'alpages. Près des sommets, la végétation classique, hêtres et épicéas, laisse la place à une végétation basse d'où émerge, près du Crêt de la Neige, le pin à crochets. La flore est riche d'espèces rares : chardons bleus, lis de Saint-Bruno, rhododendrons, dryade à huit pétales. La faune est diversifiée : chevreuils, chamois, lynx, papillons par centaines, oiseaux très protégés comme le pic tridactyle, le merle de roche et le grand tétras, emblème mythique du Jura. Ainsi que dans la plupart des réserves, les chiens sont interdits, même tenus en laisse.

Adénostyle. *Photo R.T.*

Les alpages de la Haute-Chaîne

 5 h 14 Km

 1465m 1045m

Situation Farges, à 16 km au Nord-Est de Bellegarde par les N 206 et D 984

 Parking refuge de Pré-Bouillet (par la route du Col-du-Sac)

   Balisage
- ❶ à ❻ blanc-rouge
- ❻ à ❺ blanc-rouge
- ❺ à ❶ jaune

 Difficulté particulière

■ chiens interdits ; itinéraire impraticable en période de neige (parfois jusqu'à début juin)

Ne pas oublier

Le Gralet est une bergerie entourée d'alpages qui est également aménagée en refuge. La vue sur le massif du Mont-Blanc et la vallée de la Valserine y est remarquable.

❶ Du refuge de Pré-Bouillet (1045 m), monter à l'Ouest. Couper la route forestière, puis par un sentier raide, atteindre la cabane des Gardes.

❷ Continuer la montée, couper une deuxième fois la route, puis atteindre une combe herbeuse (panneaux). La traverser (Ouest) en direction de Menthières et arriver devant une cabane en bois.

❸ Poursuivre sur 100 m, puis s'orienter au Nord et gagner, par la ligne de crête, le chalet de la Poutouille *(abri sommaire)*.

❹ Continuer au Nord-Est et atteindre un collet.

❺ Poursuivre tout droit jusqu'au chalet du Gralet *(refuge)*.

❻ Revenir sur ses pas.

❺ Emprunter à gauche la piste de Malatrait jusqu'à son terme.

❼ Descendre la route forestière sur 200 m, puis emprunter la route forestière transversale du Pays-de-Gex, en direction du Sud, sur 600 m.

❽ A l'embranchement, descendre à gauche et retrouver le refuge de Pré-Bouillet.

 À voir

En chemin

■ réserve naturelle de la Haute-Chaîne-du-Jura (faune, flore à respecter impérativement)
■ panorama sur le lac de Genève et le massif du Mont-Blanc ■ refuge du Gralet

Dans la région

■ Léaz : fort l'Ecluse
■ Bellegarde : pertes de la Valserine

Le lynx. *Dessin F.L.*

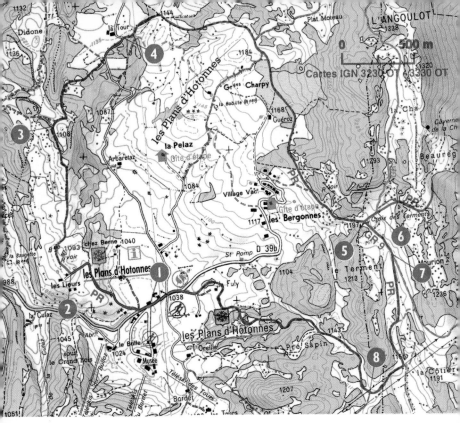

Les écarts : des habitats traditionnels

Autrefois, pas de routes, de station de ski aux Plans d'Hotonnes. Seulement des maisons isolées (les « écarts ») reliées entre elles par un réseau de chemins. Toutes ces fermes étaient construites sur un même plan, étroitement lié au climat et à l'activité agricole.

Hommes et bêtes vivent sous le même toit. L'hiver, la neige recouvre la maison et l'isole du froid. Le bois est rangé sur le balcon appelé « dreffia » ou « relevin ». Le foin est stocké sur la grange et recouvre toute la maison jusque sous le toit. Le four à pain s'ouvre sous la cheminée. La chambre à grain, située dans la partie habitation, accueille la récolte. En hiver donc, rien ni personne ne sort de la maison. Construits en pierres locales cimentées à la chaux, charpentés en bois, couverts de tuiles de bois (travaillons) ou de chaume, les écarts sont le reflet du paysage environnant. Vie rude, récolte maigre, troupeaux disparates... mais aussi veillées dans la « paële » (pièce de vie bien close, située derrière la cheminée qui la chauffe) pour « nailler » les noisettes ou raconter des histoires... Mille gestes de savoir dont l'architecture des écarts porte encore aujourd'hui le témoignage.

Chapelle de Retord. Photo J.P.G.

La Ronde des Plans

Ce circuit, particulièrement attractif pour des enfants, suit en partie le sentier de découverte (station météorologique, lapiaz...) et permet de découvrir le vaste panorama de la chaîne des Alpes.

3 h 30
10 Km
1293m
1038m

Situation Les Plans-d'Hotonnes, à 37 km au Sud-Est de Nantua par les N 84, D 55, D 39 et D 39b

 Parking maison des Plans

 Balisage

① à ⑤ jaune
⑤ à ⑥ blanc-rouge
⑥ à ⑥ jaune
⑥ à ⑦ blanc-rouge
⑦ à ① jaune

 Difficulté particulière

■ utiliser les portillons (ou bien refermer les barrières)

Ne pas oublier

---

① Face à la maison des Plans, partir à gauche. Monter la première route à droite en suivant le *sentier Nature*.

② En haut de la route, prendre le chemin qui entre dans le pré à droite, s'élève un peu, parcourt la crête, pénètre dans le bois, puis débouche dans une plantation d'épicéas.

▶ Possibilité de découvrir les installations du *sentier Nature* en s'écartant de l'itinéraire *(suivre les indications)*.

③ Tourner à droite pour passer sous le Gros Hêtre, puis quitter le sentier Nature pour monter le chemin à gauche en direction de La Tour. A travers prés et bosquets, rejoindre une route et la prendre à gauche.

④ A l'entrée de La Tour, emprunter le chemin à droite sur quelques mètres, puis bifurquer à gauche. Au carrefour suivant, obliquer à droite en direction des Bergonnes, puis utiliser le chemin qui monte à Granges-Charpy. Là, continuer tout droit, puis monter vers la croix des Terments.

⑤ A la croix, suivre à gauche la direction du crêt du Nu sur 100 m.

⑥ Quitter cette direction et partir à droite vers le panorama. Passer vers un ancien réservoir, monter le sentier caillouteux, puis traverser un pré. Franchir la barrière à gauche et s'élever pour déboucher sur la crête. Ne pas hésiter à monter le plus haut possible à gauche. Revenir par le même itinéraire.

⑥ Poursuivre pour retrouver la croix des Terments.

⑤ De la croix des Terments, aller en direction de Planvanel.

⑦ Après une mare, quitter cette direction et continuer tout droit. Sous la ligne à haute tension, tourner à droite et atteindre le lieu-dit En-Buyas.

⑧ Obliquer à droite. Le chemin descend vers la D 39b. L'emprunter à gauche et retrouver la maison des Plans.

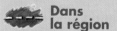 **À voir**

 En chemin

■ Les Plans-d'Hotonnes : musée de la Faune et de la Flore, maquette traditionnelle à la maison des Plans ■ sentier Nature ■ panorama du Crêt du Nu

Dans la région

■ chapelle de Retord ■ sites naturels du Valromey ■ Lochieu : musée du Valromey (vie quotidienne à la campagne depuis le 18e)

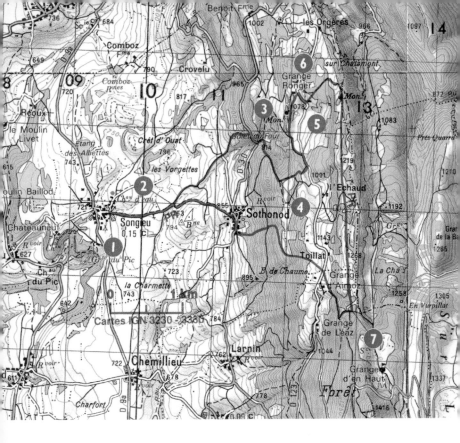

L'histoire des maquis de l'Ain

Pendant la dernière guerre, Bugey et Valromey ont servi de base à la Résistance. L'un des événements les plus marquants de cette époque reste le défilé qui conduisit 120 maquisards dans les rues d'Oyonnax le 11 novembre 1943. La réponse nazie intervint quelques semaines plus tard, sous la forme d'une gigantesque rafle à Nantua...

En février 1944, 5 000 soldats alle-

Monument du Val d'Enfer. *Photo G.B.*

mands encerclent le Valromey et se lancent à l'assaut des plateaux, sans vraiment parvenir à leurs fins. En juillet de la même année, une nouvelle attaque est nécessaire, concernant cette fois-ci Bugey et Valromey : 9 000 hommes, appuyés par d'importants moyens terrestres et aériens, battent le massif entier. En dépit des pertes subies, la Résistance renaîtra une nouvelle fois de ses cendres.

Les stèles du maquis

4 h • 13 Km

1268m
740m

Situation Songieu, à 33 km au Nord de Belley par les N 504, D 904, D 31 et D 54

 Parking église

Difficile d'imaginer devant un tel calme, que Songieu fut la capitale du Valromey pendant six siècles !

❶ Prendre la route de Sothonod. Passer la croix du Pellaray et continuer 200 m.

❷ Partir à gauche, franchir un petit vallon et s'élever par paliers successifs jusqu'à la D 30. La suivre à droite, en descente jusqu'au passage du Gobet-du-Four.

❸ Entrer dans le vallon à gauche sur quelques mètres, puis grimper à droite par des lacets raides pour rejoindre le chemin du Grand-Pré. Continuer à monter.

❹ Après un passage encaissé dans les calcaires délités, tourner à gauche en vue de gros sapins. Longer la lisière d'un bois. Monter à gauche la route de la Corniche-du-Valromey sur 100 m.

❺ S'engager sur un vieux chemin, à gauche. Monter à la stèle funéraire *(1078 m, vue sur le Valromey)*, puis descendre à la ferme Ronger. Prendre la route à droite sur 100 mètres.

❻ La quitter à gauche près d'une grange, pour s'élever jusqu'à la crête de Chalamont où se trouve une autre stèle *(1183 m, vue sur les Alpes)*. Parcourir la crête vers le Sud sur 3 km.

❼ S'engager à droite sur le chemin qui descend à la grange d'Aimoz. Couper la route. Le chemin descend à Sothonod. Avant le carrefour dans le village, obliquer à gauche et descendre.

❷ La route à gauche ramène à Songieu.

 Balisage rouge

 Ne pas oublier

 À voir

Château de Sothonod à Songieu.
Dessin F.L.

En chemin

■ Songieu : église, tilleul ■ panorama sur le Valromey ■ stèles ■ panorama sur les Alpes ■ Sothonod : château, village

 Dans la région

■ Songieu : grotte du Pic ■ Lochieu : musée du Valromey (vie quotidienne à la campagne depuis le 18e)

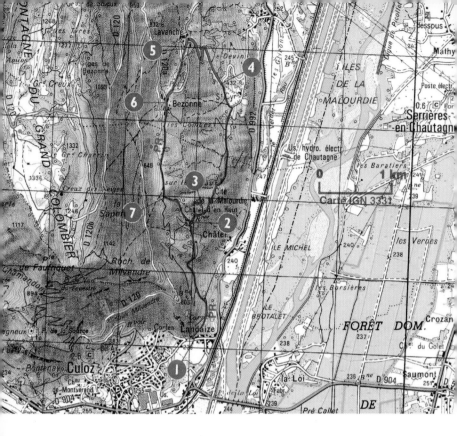

Les barrages du haut Rhône

*E*ntre Genève et Lyon, au moins neuf ouvrages hydroélectriques barrent le lit du Rhône. Les plus récents, au nombre de six, concernent le secteur dit du haut Rhône, entre Seyssel et Sault-Brénaz. Erigés les uns à la suite des autres, ces barrages forment une sorte d'escalier d'eau qui permet à la Compagnie nationale du Rhône d'en rationaliser l'exploitation.

Le cours naturel du fleuve a souvent été court-circuité au moyen d'un canal rectiligne. L'ancien lit, alimenté par un débit plus faible, garde ses caractéristiques naturelles. Près de Culoz, le barrage de Chautagne a ainsi créé un bras très sauvage, aujourd'hui protégé par une réserve naturelle. Plantes rares, mammifères, oiseaux aquatiques et poissons s'y développent en parfaite harmonie.

Construction du barrage de Génissiat. *Photo C.D.M.P.A.*

Circuit des Sarrasins

4 h
10 Km
702m
240m

Situation Culoz, à 17 km au Nord-Est de Belley par la D 992

Parking hameau de Landaize

Balisage jaune

Ce nom vient d'un promontoire rocheux, sur lequel ont été retrouvées quelques traces d'anciennes constructions édifiées par des Sarrasins, au cours des razzias qu'ils effectuaient en remontant le Rhône.

*Mlule - Agrion
encelle.
sin F.L.*

❶ De Landaize, prendre une petite route en forte pente qui mène à une carrière abandonnée. Poursuivre sur le chemin en direction du Nord. Après un virage très prononcé, se situe la Pierre des Morts. Continuer au Nord pour arriver à une succession de deux épingles à cheveux. Passer un hameau ruiné.

▶ La fontaine des Fées se trouve à proximité.

Ne pas oublier

❷ Obliquer vers l'Est et atteindre une bifurcation.

▶ Le sentier à gauche mène aux ruines toutes proches du château des Sarrasins.

❸ Continuer par le chemin qui descend, puis s'incurve au Nord. Arriver à une carrière et la longer par la gauche.

❹ Au croisement, emprunter l'ancienne route empierrée qui mène en quelques lacets à Lavanche. Sortir du hameau par la D 120a en direction de Bezonne.

❺ Dans l'épingle à cheveux de la route, s'engager à gauche sur un sentier. Couper la D 120a et continuer. Poursuivre à droite par la D 120a et entrer dans Bezonne.

❻ Dans le hameau, emprunter à gauche le chemin qui file à niveau vers le Sud sur 1 km. Traverser des champs pour rejoindre la forêt.

❼ S'engager à gauche sur un sentier qui part à angle droit. Il descend, puis débouche dans un champ en pente raide. Au bas du pré, rejoindre une intersection.

❷ Par l'itinéraire emprunté à l'aller, redescendre à Landaize.

À voir

En chemin

■ Pierre des Morts ■ fontaine des Fées (ruines) ■ belvédère des Sarrasins ■ point de vue sur le lac du Bourget

Dans la région

■ Aignoz : parcours-nature du marais de Lavours
■ ancien village de Moiret
■ barrage de Génissiat
■ lac du Bourget et abbaye de Hautecombe

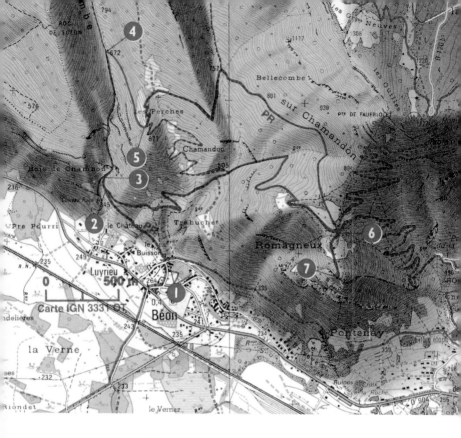

La Pierre des Morts

Belvédère de Romagneux. *Photo R.S.*

*E*ntre Landaize et Châtel-d'en-Haut, un gros bloc tabulaire, sur la droite du chemin, retient l'attention du randonneur. En d'autres temps, il a joué un rôle particulier.

En effet, lorsqu'une personne de Châtel-d'en-Haut, hameau de Culoz, décédait, son cercueil était descendu à bras d'homme par ce même chemin jusqu'à Culoz. En cours de route, les porteurs, le temps d'une pause, plaçaient le cercueil sur cette pierre plate, appelée depuis « Pierre des Morts ». L'histoire locale raconte qu'un jour de gel, le cercueil glissa sur la pierre verglacée et le défunt bascula dans la forte pente qu'il dévala en une course effrénée entrecoupée de cabrioles. Ses anges gardiens eurent, paraît-il, bien du mal à le remettre sur le bon chemin.

Belvédère de Romagneux

 4 h • **9 Km**

801m
280m

Ici, l'un des plus hauts chaînons du Jura s'affaisse brusquement : face aux Alpes, le belvédère domine le bassin de Belley et la vallée du Rhône.

1 Du lavoir, prendre le large chemin qui monte vers l'Ouest.

2 Dans la première épingle à cheveux, emprunter à gauche le sentier qui conduit dans un vallon encaissé et gagne une bifurcation.

▶ Par le sentier qui descend à gauche, accès aux ruines du château de Luyrieu *(à 5 mn)*.

3 Continuer le sentier qui monte en pente raide jusqu'à la Roche Percée. Peu après, franchir un petit escarpement et poursuivre la montée au fond du vallon.

4 Tourner à droite et cheminer à niveau avant de rejoindre un large chemin.

5 Le monter, puis continuer en restant à niveau. Laisser à gauche le sentier qui grimpe à Chanduraz et poursuivre jusqu'aux prés de Romagneux où se trouve un carrefour.

6 Continuer plein Sud pour gagner le belvédère de Romagneux.

7 Revenir au carrefour.

6 Prendre à gauche un sentier bordé d'arbustes qui descend dans une gorge. Poursuivre à gauche sur la route forestière.

2 Continuer par la route forestière pour retrouver Béon.

Flore calcaire. *Dessin F.L.*

 Fiche pratique 25

Situation Béon, à 19 km au Nord-Est de Belley par les D 992 et D 904

 Parking près du lavoir

 Balisage jaune n°4

Ne pas oublier

À voir

En chemin

■ arche naturelle de la Roche Percée ■ ruines du château de Luyrieu ■ belvédère de Romagneux : point de vue sur le Rhône, le bassin de Belley, le lac du Bourget et les Préalpes

Dans la région

■ Aignoz : parcours-nature du marais de Lavours ■ table d'orientation du Colombier ■ lac du Bourget et abbaye de Hautecombe ■ belvédères du Fenestrez et de Chanduraz

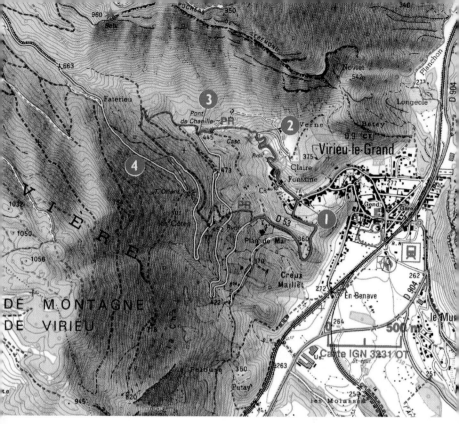

La fontaine des Amours

Spectacle féerique en hiver lorsqu'elle est émaillée de givre et de stalactites de glaces, la cascade de Clairefontaine constitue un agréable lieu de promenade l'été en raison de la fraîcheur apportée par les eaux de la rivière dont la source ne tarit jamais. La fontaine des Amours, tel est le nom que lui a donné Honoré d'Urfé, seigneur de Virieu-le-Grand, dans *Le Sireine*, poème de ses amours d'antan qu'il écrivit en 1597.

> « … Sous l'aube d'un penchant bocage
> Esmaillé d'un printemps de fleur
> Où l'esté, noirci de chaleurs,
> Jamais n'outre perçait l'ombrage
> Le ruisseau sourdait d'un rocher
> Son onde allait à petits bonds
> Flottant par les menus sablons
> Qu'elle emportait hors de la source
> Ses bords en sièges rehaussés
> S'ouvraient en des lieux crevassés
> Caves comme par artifice
> Sièges où les nymphes le soir
> Ce dit-on se venaient asseoir… »

La cascade de Claire-Fontaine **26**

Cette fraîche cascade inspira le poète Honoré d'Urfé.

1 Prendre à droite la petite route entre le ruisseau l'Arène et la colonie de vacances.

Geai des chênes.
Dessin F.L.

2 Après le petit pont, s'engager à gauche sur le sentier qui surplombe le torrent, rive gauche et mène à la cascade. Continuer à monter, puis franchir le torrent sur un pont et s'élever encore sur 100 m.

3 Emprunter le sentier à droite et poursuivre le long du torrent. Le chemin décrit un lacet et rejoint la D 53.

▶ Accès à la table d'orientation située sur le lacet supérieur, en suivant la D 53 dans le sens de la montée *(aller-retour : 500 m)*.

4 Descendre par la D 53, puis la quitter pour en couper les lacets par des sentiers en sous-bois, avant de la reprendre pour retrouver le point de départ.

Chêne. *Dessin F.L.*

Cascade de Clairefontaine. *Photo M.P.*

2h
4 Km
500m
285m

Situation Virieu-le-Grand, à 12 km au Nord de Belley par les N 504 et D 904

Parking à la sortie du village près d'un transformateur, par la route de Thézillieu (D 53)

Balisage bleu

À voir

En chemin

■ cascade de Claire-Fontaine
■ table d'orientation

Dans la région

■ Virieu-le-grand : château, maisons anciennes ■ gorges de Thurignin ■ Cerveyrieu : cascade et résurgence du Groin ■ Valromey

Le pays des fours à pain

*P*résents dans chaque village, voire dans chaque hameau, les fours à pain constituent un aspect particulièrement original du patrimoine bugiste. Bâtis en pierre du pays, le plus souvent voûtés, ils sont recouverts de lauzes ou de tuiles-écailles. Comme pour les toits des maisons bugistes, un escalier de dalles appelé «pignon à redents» ou «pignon à lauzes» surmonte fréquemment la façade. Dans le Bugey, les fours témoignent d'une tradition communautaire qui remonte au Moyen Age. A cette époque, le four banal appartient tantôt au seigneur, qui peut contraindre le paysan à l'utiliser contre la perception d'une taxe, tantôt aux

Four banal à Flaxieu. *Photo B.R.-M.*

villageois eux-mêmes, qui en supportent alors l'entretien. Si rares sont aujourd'hui les familles à venir «réserver leur tour de chauffe» pour leur consommation personnelle, la cuisson artisanale du pain et des tartes de pays est maintenant l'occasion de fêtes estivales authentiques.

La chapelle Sainte-Anne

Le château de Beauretour aurait été donné au comte de Savoie par l'empereur Henri IV en 1137, et la chapelle Sainte-Anne serait le résultat d'un vœu fait par un notable à l'occasion de la maladie de son épouse.

Situation Saint-Germain-les-Paroisses, à 8 km à l'Ouest de Belley par la D 41

 Parking lieu-dit Grange-Neuve (hameau d'Essieux), à 1 km au Nord du village par la D 41a

 Balisage bleu

① Tourner le dos à la D 41 et laisser à droite Essieux, pour se diriger vers l'Est sur 600 m.

② Négliger un chemin à droite et poursuivre vers l'Est.

③ Obliquer à gauche (nord) et rejoindre le lac de Chailloux.

④ Laisser à droite le chemin de Boissieu et prendre le sentier à gauche qui monte sur le plateau *(vues sur le bassin de Belley)*. Descendre et gagner Montbreyzieu. Traverser le hameau et continuer sur la route. Emprunter la D 41a à gauche sur 100 m.

Trompettes-des-morts. *Dessin F.L.*

 Ne pas oublier

⑤ S'engager sur le chemin à droite et poursuivre tout droit, en laissant un chemin à gauche, puis un autre à droite. Prendre la route à gauche.

⑥ Au bout de la partie goudronnée, se diriger plein Ouest par le sentier qui passe devant la chapelle. Continuer sur le chemin qui se faufile au fond de la vallée, sur 500 m.

À voir

⑦ Bifurquer à gauche et aller plein Sud en longeant au plus près le pied de la montagne. Le chemin s'élargit. Laisser la route à gauche et gagner Meyrieux.

 **En chemin**

■ lac de Chailloux ■ chapelle Sainte-Anne (1684) ■ ruines du château de Beauretour

⑧ Tourner à gauche, puis emprunter la D 41a à gauche sur 500 m pour retrouver le parking.

► Accès aux ruines du château de Beauretour, situées à 250 m vers l'Ouest.

 **Dans la région**

■ Innimond : croix de la Roche (table d'orientation) ■ Belley : cathédrale, palais épiscopal et Grande-Rue (maisons 16e)

La chartreuse forteresse de Pierre-Châtel

Le promeneur entrant dans l'Ain par le pont de la Balme, sur la N 504, peut-il imaginer les armées de la coalition de 1814 contre Napoléon, donnant l'assaut à la chartreuse

Chartreuse de Pierre-Châtel. *Photo B.R.-M.*

forteresse de Pierre-Châtel? Le commandant de la place et ses 120 vétérans ne cédèrent la place, avec les honneurs militaires, qu'après 48 jours de siège et à la suite de l'abdication de l'empereur. En 1840, la Restauration confirme l'intérêt stratégique de l'ancienne chartreuse, la dote de souterrains de murailles percées de meurtrières et fait construire pour renforcer sa protection nord Fort-les-Bancs à 480 mètres d'altitude. En 1860, la Savoie était rattachée à la France… et Pierre-Châtel, site pittoresque de la montagne de Parves, perdait tout intérêt militaire.

La montagne de Parves

Presque complètement cernée par le Rhône et son canal de dérivation, la montagne de Parves se termine au Sud par le défilé de la Balme, dominé par la chartreuse fortifiée de Pierre-Châtel.

❶ Face au point de vue sur le canal du Rhône, descendre 20 m, puis s'engager sur le chemin au-dessus de la route (parcours sportif). Il monte à travers buis et châtaigniers à Montpellaz. Emprunter la route à droite (Sud) sur 500 m.

❷ Prendre à droite un sentier à travers prés qui oblique vers le Sud en s'élevant le long d'une sapinière. Atteindre une aire d'envol de parapentes *(point de vue sur le bassin de Belley fermé par la montagne de Tentanet)*. Continuer jusqu'à une grande carrière de calcaire rosé.

❸ Suivre à gauche un large chemin en direction du Nord, puis emprunter la route à droite pour descendre à Parves. Continuer par la D 107 en direction de Nattages. Laisser une route à gauche.

❹ A Sorbier, prendre la route à gauche et passer devant le four banal. Laisser à droite et à gauche deux petites routes et descendre jusqu'aux maisons du Grand-Ecrivieu.

❺ Utiliser la route à gauche sur 200 m. Au niveau du lavoir, aller tout droit en laissant la route qui descend. Sur le chemin, éviter une route à droite et atteindre un croisement.

❻ Obliquer au Nord et parcourir 300 m *(point de vue sur le canal du Rhône, au niveau du lac du Lit-au-Roi)*.

❼ Remonter par un chemin caillouteux et humide sur 500 m. Ne jamais aller à droite. Continuer sur la route.

❽ Au carrefour, bifurquer à droite, puis emprunter la D 107 à droite sur 1,5 km, pour retrouver le parking.

Rat des champs. *Dessin F.L.*

 3 h 30
11 Km
587m
250m

Situation Parves, à 6 km à l'Est de Belley par les D 992, N 504 et D 107

 Parking lieu-dit Le Bois-des-Cornettes, par la D 107

Balisage bleu

Ne pas oublier

 **À voir**

En chemin
■ table d'orientation ■ points de vue

 **Dans la région**

■ chartreuse fortifiée de Pierre-Châtel (propriété privée, vue plongeante par le GR® 9A depuis Nant)
■ Massignieu-de-Rives : plan d'eau ■ Belley : cathédrale, palais épiscopal et Grande-Rue (maisons 16e)

La Maison des enfants d'Izieu

Situé dans le Bugey, à la pointe Sud du département, ce lieu se veut être à travers la mémoire des faits qui s'y sont déroulés, un symbole national suscitant la réflexion sur le crime contre l'humanité. Inauguré en 1994, le Musée mémorial des enfants d'Izieu perpétue le souvenir des quarante-quatre enfants juifs et de leurs éducateurs raflés par la Gestapo le 6 avril 1944. Deux bâtiments sont ouverts au public toute l'année. L'un évoque la vie quotidienne de la colonie au moment des faits, l'autre est un espace d'exposition temporaire sur le contexte historique et le thème du crime contre l'humanité.

La Maison des Enfants d'Izieu.
Photo G.A.

Le Grand Thur

Une randonnée-émotion à la mémoire des enfants d'Izieu, au cours de laquelle vous pourrez voir de belles maisons bugistes avec pignons à lauzes.

ugequeue à front blanc.
ssin F.L.

1 Quitter l'église et la mairie-auberge en suivant la route qui monte.

2 Tourner à droite. Après la dernière maison, continuer sur 100 m et atteindre une bifurcation.

3 S'engager à gauche sur le sentier qui s'élève à flanc de montagne.

4 A la côte des Trois-Pommiers, le sentier oblique brusquement à droite et monte rapidement en lacets pour passer entre les deux rochers de Thur. Poursuivre en direction du Nord jusqu'au point de vue (758 m).

5 Descendre par un chemin forestier et rejoindre une petite route.

6 L'emprunter à droite. Elle surplombe la vallée du Rhône et le village d'Izieu.

3 Revenir à Izieu.

2 Regagner le parking.

Pignon bugiste. *Dessin F.L.*

3 h
6 Km
758m
374m

Situation Izieu, à 20 km au Sud de Belley par les D 992, D 19c et D 19d

P **Parking** place de l'Eglise

 Balisage

1 à **2** jaune
2 à **3** blanc-rouge
3 à **6** jaune
6 à **2** blanc-rouge
2 à **1** jaune

Ne pas oublier

 **À voir**

En chemin

■ musée-mémorial de la Rafle du 6 avril 1944 ■ maisons bugistes (pignons à lauzes)

Dans la région

■ cascade de Glandieu
■ Belley : cathédrale, palais épiscopal et Grande-Rue (maisons 16e)

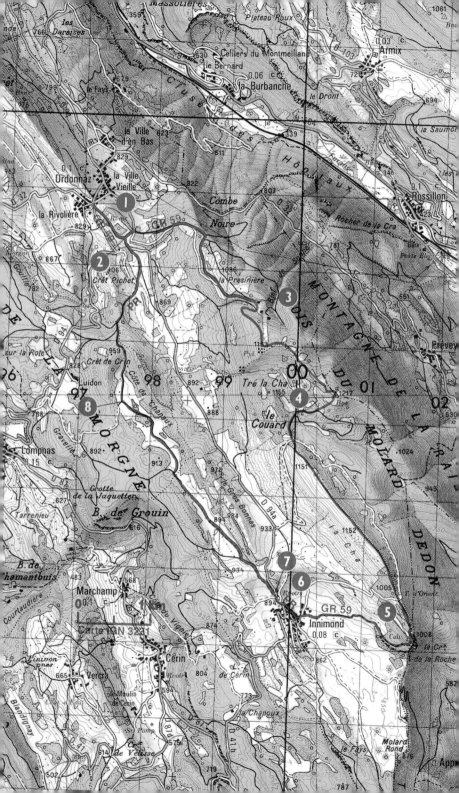

Les crêtes du Mollard de Don

Le Mollard de Don (1 217 m) est le point culminant du Bas-Bugey. Mais c'est sur le mont Pela et à la croix d'Innimond (1 009 m) que vous pourrez voir les Alpes, du Mont-Blanc à la Vanoise.

1 Quitter le village vers le Sud par le chemin du Réservoir.

2 Emprunter la D 94a à gauche sur 200 m. S'engager à droite sur un ancien chemin, puis sur une petite route avec des portions goudronnées qui s'élève en pente douce jusqu'à un ancien chalet.

3 Continuer sur le chemin qui se rétrécit insensiblement et gagner le sommet du Mollard de Don.

4 Une descente rapide et herbeuse amène à un col d'où une courte montée conduit sur la crête du mont Pela *(panorama d'abord sur la droite, puis sur les deux versants)*. Descendre vers la table d'orientation et rejoindre la croix d'Innimond, bien visible au sommet d'une falaise *(vue sur le bassin de Belley, les Alpes et le mont Pilat dans le Massif Central)*.

5 Un petit sentier en descente raide mène à Innimond.

6 Poursuivre, puis partir à droite en direction d'Ordonnaz, sur 500 m.

7 Bifurquer à gauche sur un large chemin à niveau qui traverse les prés des Chanaux sur 3 km.

8 Obliquer à droite vers une petite reculée. La franchir par un col. Dans la descente, le chemin s'élargit.

2 Reprendre le chemin du Réservoir pour retrouver le parking.

Le lièvre. *Dessin F.L.*

Situation Ordonnaz, à 28 km au Sud-Est d'Ambérieu-en-Bugey par les N 504, D 73 et D 32

 Parking carrefour des D 32 et D 94

 Balisage

1 à **6** blanc-rouge
6 à **2** jaune
2 à **1** blanc-rouge

⚠ Difficulté particulière

■ nombreuses côtes et deux descentes raides

Ne pas oublier

 À voir

 En chemin

■ Ordonnaz : village ■ vues panoramiques à la croix d'Innimond (table d'orientation) ■ Innimond : église

 **Dans la région**

■ Cerin : musée paléontologique ■ Lhuis : église et village ■ Groslée : vignoble

L'eau, de la perte à la source

En pays calcaire, il n'est pas rare de voir disparaître subitement un cours d'eau dans une anfractuosité rocheuse. La plaine du Bief et la plaine de Chanaux sont l'occasion d'observer ce phénomène, toujours spectaculaire.

Dans la plaine du Bief, le ruisseau de la Brune disparaît dans une dépression au lieudit La Maubertaine. Le cours souterrain a été suivi sur plus d'un kilomètre par les spé-

léologues. Au-delà, la rivière souterraine ressort au nord, à la source de la Burbanche, soit à plus de 4 km à vol d'oiseau.

Sur la bordure ouest de la plaine de Chanaux, plusieurs ruisseaux se rencontrent pour se jeter dans la perte du Serpent. On sait, d'après leur coloration, que ces eaux réapparaissent 9 km plus au sud et alimentent les sources du Gland à Conzieu.

En Bugey, les villages participent au paysage

Sur une côtière ensoleillée, ou nichés au détour de vallons compliqués, les villages bugistes composent remarquablement leur architecture traditionnelle, bien préservée, avec la riche diversité des sites naturels. Parmi d'innombrables variantes, deux types de maisons sont le reflet des hommes qui les ont

construit. D'abord, la maison de propriétaire terrien, vaste toit à quatre pans de tuiles-écailles, auquel sont accolées granges et écuries. L'ensemble respire la prospérité rurale. D'autre part, les hameaux et les étonnantes séries de pignons crénelés du petit habitat paysan. Toiture à deux pans établie entre deux murs dominants, construite au-dessus d'une cave voûtée. Mais en Bugey, la nécessité ayant rejoint la tradition, le chaume épais et isolant n'a été que tardivement remplacé par la mince petite tuile. Enfin, au fond des terres et des vallons, dorment ces «grangeons» du temps du pas lent des attelages.

Le village d'Innimond.
Photo J.F.B.

La rivière souterraine de la Moilda. *Photo E.V.*

Un livre ouvert sur un lointain passé

Surplombant le village de Cerin, la carrière de calcaire lithographique offre un intérêt particulier pour tout amateur de géologie. D'abord exploités au 19e siècle pour la lithogravure, les calcaires lithographiques de Cerin se sont rapidement distingués par leur richesse en fossiles remarquablement conservés. A partir de 1973, le site est étudié par des paléontologues de l'université de Lyon. Le chantier de fouille durera plus de vingt ans pendant lesquels, strate après strate, les calcaires de Cerin vont livrer leurs secrets. La syn-thèse de ces travaux permet aujourd'hui de reconstituer le paysage de la région, il y a 104 millions d'années : une lagune tropicale au temps des dinosaures.

Fossile de Crocodiliens. *Photo V.S.*

La Brivaz

Une petite rivière aux eaux chargées de calcaire, d'anciens moulins, une chapelle, une église, un musée paléontologique, et beaucoup de calme...

3 h
8 Km

665m
365m

Situation Cerin, à 36 km au Sud-Est d'Ambérieu-en-Bugey par les N 504, D 73, D 32 et D 94

Parking musée paléontologique

Balisage bleu

Couleuvre à collier.
Dessin F.L.

Difficulté particulière

■ prudence à la cascade entre ❸ et ❹

❶ Près du musée, prendre la petite route qui se transforme en chemin. Descendre à la rivière la Brivaz et remonter en face, au hameau de Vercraz *(chapelle)*.

❷ Le quitter par le Nord *(point de vue)*, puis obliquer vers l'Ouest. La descente s'accentue dans la forêt et mène à la rivière. La franchir, puis remonter sur l'autre versant.

Ne pas oublier

❸ Emprunter à droite un large chemin, peu avant deux «grangeons» très typiques. Le sentier suit la rivière de près, puis contourne une cascade *(prudence !)* et passe près des ruines d'un moulin.

❹ Monter à Marchamp par un large chemin. Dans le village, prendre la route à droite et dépasser l'église.

❺ S'engager à gauche sur le chemin du Cimetière qui ramène à Cerin.

À voir

En chemin

■ Cerin : musée paléontologique

Dans la région

■ Lhuis : église et village ■ Briord : musée archéologique ■ Glandieu : cascade ■ Innimond : église, table d'orientation

La salamandre.
Dessin F.L.

La pierre de Villebois

Pendant plusieurs siècles, Villebois fut « la cité de la pierre ». De nombreuses traces d'exploitation sont encore visibles sur le plateau de l'Octave, à l'ouest du village. Le calcaire, très dur et très lourd, appelé « choin », fut exploité à partir de la fin du 16e siècle. Les carrières connurent leur apogée sous le Premier puis sous le Second Empire et employaient, à la fin du 19e siècle, plusieurs milliers d'ouvriers. On remarque la pierre de Villebois dans la plupart des monuments construits à Lyon au 19e siècle : Palais de justice, Grand Théâtre, Célestins, Hôtel-Dieu, Faculté de Médecine… mais aussi à Paris, Grenoble, Genève, Lausanne.

En 1889, pour fêter le centenaire de la Révolution française et rappeler la mémoire des 76 volontaires de l'Armée du Rhin, la municipalité fit ériger sur la place de la Verchère un monument monolithique de 20 m de haut et de 42 tonnes.

Le monolithe de Villebois.
Photo G.A./CDMPA

Le tour de Cuny

4 h
10 Km

730m
250m

Situation Villebois, à 17 km au Sud-Est d'Ambérieu-en-Bugey par les N 75, D 19 et D 60c

Parking place du village

Balisage

1 à 2 non balisé
2 à 1 vert

Difficulté particulière

■ prudence en période de dégel ; ne pas parcourir le circuit dans l'autre sens (descente dangereuse)

Ne pas oublier

L'écureuil roux.
Dessin F.L.

En 1889, les carrières de pierre de Villebois jouissaient d'une grande réputation. Aussi les tailleurs de pierres élevèrent-ils un monument à la gloire de la Révolution Française.

1 En bas de la place, s'engager dans une ruelle. Emprunter la rue du Perron, puis la route de La Carria pour monter à ce hameau.

2 Dans le virage, prendre tout droit un chemin qui se rapproche de la falaise *(vues sur la vallée du Rhône et les Demoiselles de Villebois)*. Le sentier grimpe sur la montagne par un raidillon prononcé.

3 Au sommet, suivre un chemin à droite sur 100 m, puis obliquer à gauche. La montée s'adoucit. Atteindre une intersection.

▶ Accès au calvaire de Cuny à 100 m à droite *(750 m, vue plongeante sur Bénonces)*.

4 Partir à gauche en légère descente, puis longer la combe du Lot.

5 Emprunter à gauche le large chemin forestier.

6 Utiliser à droite le raccourci qui coupe les lacets de la piste, puis descendre tout droit face à l'église.

À voir

 En chemin

■ Villebois : église en pierre du pays 19e, monolithe à la gloire de la Révolution Française
■ panorama ■ calvaire de Cuny

Dans la région

■ bases nautiques de la Vallée-Bleue (rive gauche du Rhône) et du Point-Vert (rive droite)
■ Saint-Sorlin-en-Bugey : village des roses, fresque de Saint-Christophe 16e, lavoir de Collonge ■ table d'orientation du calvaire de Portes

Le gaz naturel de Vaux-Fevroux

Vue sur Vaux-en-Bugey. *Photo J.Le.*

En 1906, deux personnes procédaient à un forage pour rechercher de la houille lorsque, vers 200 mètres de profondeur, jaillit du gaz naturel à une telle pression et dans une telle quantité qu'il fallut plusieurs mois pour colmater le sondage. A partir de 1919, la SERP (Société d'étude et de recherche pétrolifères) reprit les sondages dans le but de trouver du pétrole, mais faute d'en trouver, elle se résolut à exploiter le gaz naturel, ce qui était une première mondiale. A partir de 1924, la ville d'Ambérieu-en-Bugey fut la première ville alimentée et, en 1925, la compagnie de Saint-Gobain construisit une usine à Lagnieu pour profiter de cette énergie. Mais la production initiale (2 millions de mètres cubes par an) diminua rapidement. Dès 1935, elle était inférieure à 250 000 mètres cubes et cessa complètement, le 28 février 1961.

Le circuit des quatre villages

5h45
19 Km

528m
245m

Quatre villages traditionnels, mais aussi une vallée reculée où, dès 1922, on exploitait le gaz naturel (premier gisement de France).

Situation Saint-Denis-en-Bugey, à 3 km au Sud-Ouest du centre d'Ambérieu-en-Bugey par la D 5

 Parking place de l'Eglise

❶ Prendre la rue Victor-Hugo, passer sous un ancien moulin et monter en pente raide jusqu'à la tour carrée de Saint-Denis *(table panoramique)*.

❷ Descendre vers l'Ouest, trouver un chemin à gauche et gagner Ambutrix. Quitter le village par le chemin de Buya.

Balisage

❶ à ❼ rond bleu
❼ à ❽ blanc-rouge
❽ à ❾ rond bleu
❾ à ❷ blanc-rouge
❷ à ❶ rond bleu

❸ Grimper par un sentier dans les bois. Poursuivre par un chemin qui domine le village et le vignoble de Vaux-en-Bugey. Descendre à droite, couper la D 77a et se diriger vers la chapelle. Par le quai du Ruisseau, rejoindre le carrefour de la mairie. Emprunter la route sur 50 m vers le Sud.

❹ S'élever à gauche par un chemin qui franchit un col et redescend à Vaux-Fevroux. Prendre la route à droite sur 500 m.

Ne pas oublier

❺ Monter à droite à travers bois et poursuivre sur 2 km *(vestiges d'un puits de gaz naturel dans un pré)*. Le chemin s'enfonce ensuite dans la reculée.

▶ Accès possible aux cuves de Buizin (cascades). *Voir tracé sur la carte en tirets.*

Franchir le ruisseau à gauche, au pont Neuf.

À voir

 En chemin

■ Saint-Denis-en-Bugey : tour carrée, le chemin historique et table panoramique ■ Vaux-en-Bugey : ruelles étroites, ponts, vignoble et chapelle de Nièvre perchée sur la colline ■ Bettant : fête de la Batteuse (3e dimanche de juillet)

❻ Tourner à gauche. Continuer par la route sur 500 m *(laboratoire du gaz, abri)*, puis prendre le chemin à flanc de colline. Au-dessus de Vaux-Fevroux, monter à droite et atteindre une intersection.

❼ Se diriger à gauche sur 200 m, jusqu'à une nouvelle intersection.

❽ Descendre par le chemin à droite, vers Bettant. Emprunter la D 5 à gauche, puis la route de Vaux-en-Bugey à gauche *(fontaine)*. Utiliser un raccourci pour couper un lacet. Dans le second lacet, continuer tout droit jusqu'à la croix Balthazard.

Dans la région

■ Ambérieu-en-Bugey : musée du Cheminot, château des Allymes ■ Ambronay : abbaye (festival de musique baroque à l'automne) ■ Saint-Sorlin-en-Bugey : village des roses, fresque de Saint-Christophe 16e, lavoir de Collonge

❾ Suivre le chemin à droite qui ramène à la tour de Saint-Denis.

❷ Rejoindre le point de départ.

La vallée de l'Albarine

*T*oute proche du village d'Oncieu, l'Albarine est l'une des plus belles rivières à truites du département. Ses eaux claires descendent du plateau de Hauteville en formant la cascade de la Charabotte (150 m de haut) et coulent ensuite au fond de gorges spectaculaires jusqu'à Tenay. Encadrée par des montagnes où forêts et falaises se conjuguent à merveille, elle oblique alors vers le Nord pour rejoindre l'Ain, suivie par la route et la voie ferrée. Les villages établis dans cette cluse ont connu un passé glorieux à l'époque du textile français, comme en témoignent les usines et cités ouvrières encore visibles de la route. Après plusieurs décennies de crise, la vallée mise aujourd'hui sur une reconversion des bâtiments industriels et sur le développement du tourisme.

Cascade de la Charabotte.
Photo M.P.

Le village rond d'Oncieu

Un village construit en rond autour d'un verger commun. Après l'avoir surplombé, vous en ferez le tour.

1 Traverser la N 504, puis monter entre le bureau de poste et l'école, en laissant à gauche la route de l'église.

2 Après l'entrée du lotissement, partir à gauche et monter en direction de la roche de Narse. Le chemin passe en partie sur des éboulis, mais monte facilement sous les roches surplombantes. Continuer le long du ruisseau le Boujon.

3 Quitter le ruisseau pour s'engager plein Sud sur un large chemin. Il vire en épingle à cheveux et revient plein Nord par les bois des Rioudes pour atteindre Evosges. Traverser le village, par la D 102, en direction du col d'Evosges. Gagner un carrefour marqué par une croix *(point de vue)*.

4 Poursuivre sur la D 102 qui arrive au col d'Evosges. Passer le col et descendre par la route en direction d'Oncieu. Après le virage en épingle, parcourir encore 50 m.

5 Descendre à gauche, par le chemin du Facteur. Traverser les vignes qui dominent le village en rond, puis rejoindre la D 102 et atteindre Oncieu.

6 Partir à droite pour réaliser le tour du village *(maisons bugistes très fleuries l'été)*.

7 Descendre par l'ancienne route du Facteur. Couper la D 34 et prendre un chemin qui traverse les vignes, au-dessus de la cluse de l'Albarine, puis ramène à Argis.

mmier en fleurs.
essin F.L.

4 h
14 Km

782m
316m

Situation Argis, à 17 km à l'Est d'Ambérieu-en-Bugey par la N 504

 Parking place du village

 Balisage jaune

 Difficulté particulière

■ prudence en période de dégel ; ne pas parcourir le circuit dans l'autre sens (descente dangereuse)

Ne pas oublier

À voir

 **En chemin**

■ Argis : église Saint-Maurice, lavoir à La Morandière
■ Evosges : traversée du village, panorama de la croix d'Evosges ■ Oncieu : village rond, présence (fin novembre) du vieil alambic qui distille le marc du Bugey ■ cluse des Hôpitaux

 **Dans la région**

■ Saint-Rambert-en-Bugey : écomusée, abbaye (crypte Saint-Domitien) ■ Ambronay : abbaye (festival de musique baroque à l'automne) ■ vallée de l'Albarine (rivières à truites) ■ Chaley : cascade de la Charabotte

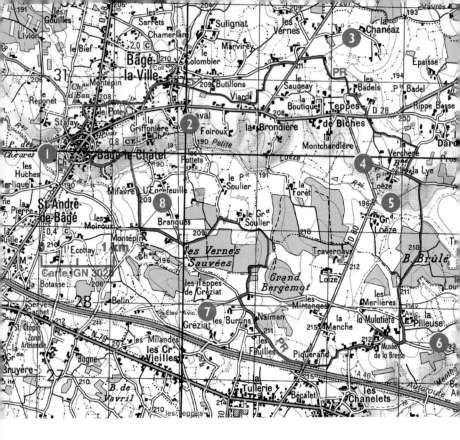

Le musée de la Bresse

Construit à la fin du 15e siècle et au début du 16e siècle, le domaine des Planons constitue un ensemble remarquable de bâtiments de ferme en pisé et en bois dans la tradition bressane de l'époque. Classé monument historique, il abrite depuis 1995 le musée de la Bresse, mettant en valeur le patrimoine culturel local, dans une atmosphère toute particulière, empreinte d'un irrésistible cachet nostalgique. Une mise en scène sonore, fondée sur des documents historiques, anime le parcours et des expositions temporaires enrichissent l'ensemble à la belle saison.

Le Musée des Planons. *Photo G.B.*

Les Planons

4h30
18 Km

Randonnée à travers le bocage bressan où l'on découvre au fur et à mesure tout son patrimoine, symbolisé par le musée de la Bresse, aux Planons.

Situation Bâgé-le-Châtel, à 10 km à l'Est de Mâcon par la D 68a

Parking poste

Balisage jaune

❶ Rejoindre l'église, longer la D 68, puis suivre à droite la *Route de la Bresse*. Tourner à gauche, laisser une voie à gauche, obliquer à gauche, puis virer à droite et couper la D 58. Longer le stade et bifurquer à gauche sur le chemin qui borde une usine. Emprunter la D 128 à gauche et gagner Bâgé-la-Ville. Sur la place, prendre la route à droite de l'école primaire et longer le cimetière.

❷ S'engager sur le chemin en terre (portions goudronnées). Après 1,5 km, suivre la route à droite, la D 80 à gauche, puis obliquer à droite.

❸ Au bout de la route, prendre à droite un chemin de terre. Emprunter la route à gauche, couper la D 28 et continuer sur le chemin en terre.

Ne pas oublier

❹ Bifurquer à gauche. Suivre la route à droite, puis la D 26a à gauche.

❺ S'engager sur le chemin en pente à droite. Il traverse le bois Brûlé, puis sort dans les champs. Continuer sur une route devant une ferme. Au croisement, aller tout droit vers La Mulatière.

❻ A l'intersection, partir à droite vers le musée de la Bresse. Devant le parking, tourner à droite puis utiliser à gauche un chemin en terre. Poursuivre sur la route à droite, puis emprunter à droite une petite route qui devient chemin. Couper la D 80, longer l'A 40 et continuer par la route dans la même direction *(bien suivre le balisage)*.

À voir

 En chemin

■ Bâgé-le-Châtel : château (ne se visite pas) ■ Bâgé-la-Ville : église ■ Les Planons : musée de la Bresse ■ bâti rural bressan : fermes en pisé, cheminées sarrasines, clou et grange des Carrons ■ château de Montépin (ne se visite pas)

❼ Au carrefour de quatre routes, aller à droite sur 100 m, puis s'engager à gauche sur un chemin. Traverser un bois, emprunter la route à gauche, puis le premier chemin à gauche sur 700 m. Poursuivre à droite sur la *Route de la Bresse*.

❽ Devant le château, prendre à droite le chemin de terre, la route empierrée de Mifavre tout droit, puis le sentier à droite. Il franchit la Petite Loëze. Emprunter la route à gauche qui ramène au point de départ.

Dans la région

■ Vonnas : village, gastronomie ■ Pont-de-Veyle : vieux village, parc du château

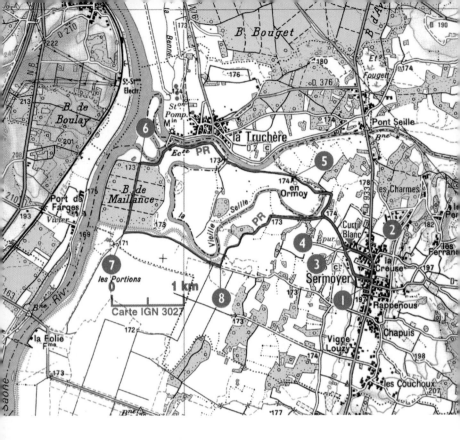

Les dunes de Sermoyer

S ituées sur la commune de Sermoyer, les dunes fossiles des Charmes ont été formées à l'origine par les vents dominants d'Ouest, à la fin du Tertiaire. Cette accumulation de sable est issue de l'ancien lac bressan avant que le glacier ne façonne définitivement le paysage de Bresse, laissant une apparence de relief mollement val-

lonné. Le site en lui-même est inclus dans une longue bande de prairies inondables, appelée Val-de-Saône, et longeant la rivière à l'extrémité nord-ouest du département de l'Ain.

Dunes de Sermoyer.
Photo G. B.

La Vieille Seille

L'écluse de la Truchère construite en 1830 et toujours en activité, permet aux plaisanciers l'accès aux méandres de la Seille. La prairie qui entoure la rivière attire de nombreuses espèces d'oiseaux.

1 De l'église, longer la D 933 en direction de Cuisery.

2 Avant la fin de l'agglomération, tourner à gauche et descendre par une petite route. Longer sur la gauche une mare située au milieu d'un pré.

3 Au croisement, aller à droite en direction de la Vieille Seille et atteindre une intersection.

4 Prendre à droite la petite route qui serpente entre des talus élevés. Elle vire à gauche en angle droit. Laisser à droite un chemin d'exploitation, poursuivre tout droit, puis franchir la Vieille Seille sur le pont et arriver dans un grand pré *(département de Saône-et-Loire)*. Continuer la route qui devient un chemin sablonneux et se diriger vers la grange de l'Ormoy.

5 Longer les bords de la Seille. Au croisement, laisser le chemin à gauche pour aller tout droit *(département de l'Ain)*. Franchir un pont et poursuivre sur une petite route, encadrée à gauche par un grand pré et à droite par la Seille. Gagner l'écluse. Laisser à droite la route qui passe le pont et continuer sur le petit chemin qui longe un des bras de la Seille *(près des son confluent avec la Saône)*.

6 Tourner à gauche en angle droit pour entrer dans le bois de Maillance. Le traverser par un chemin rectiligne. A la sortie, franchir la digue et descendre dans la prairie.

7 Obliquer à gauche sur le chemin d'exploitation qui se dirige à l'Est et longe la digue à droite.

8 300 m avant la route, s'engager sur un chemin à gauche, plus ou moins proche de la Vieille Seille, qui serpente à travers champs.

4 Partir à droite

3 Prendre à droite une petite rue qui monte et ramène à l'église.

Courlis cendré. *Dessin F.L.*

---

 3 h
10 Km

Situation Sermoyer, à 36 km au Sud-Est de Chalon-sur-Saône par les N 6, D 37 et D 933

 Parking mairie (à côté de l'église)

 Balisage rouge

Difficulté particulière
■ attention aux éventuels éboulements aux abords de la grange de l'Ormoy en **5**

Ne pas oublier

À voir

 En chemin
■ Sermoyer : église ■ la Vieille Seille ■ grange de l'Ormoy ■ écluse de la Truchère et bois de Maillance (héronnière) ■ prairie du val de Saône

Dans la région
■ Sermoyer : site naturel des Charmes (dunes de sable) ■ Pont-de-Vaux : croisières fluviales sur la Seille et la Saône, musée Chintreuil, restaurants gastronomiques, port de plaisance ■ réserve naturelle de La Truchère

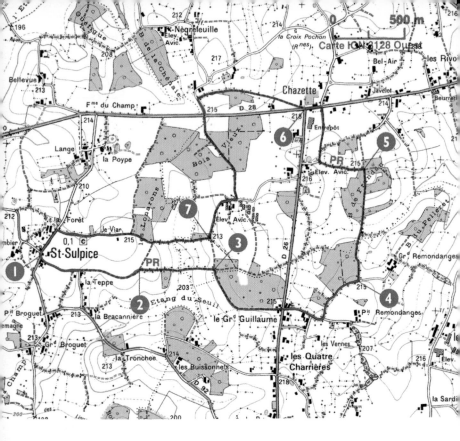

Les cheminées sarrasines

Souvent très belles, parfois étonnantes, toujours étranges, les cheminées sarrasines demeurent le grand mystère de la Bresse. Elles se seraient multipliées sous l'influence de la Sirerie de Bâgé du 10e au 13e siècle. Au Moyen Age, on en comptait par milliers : il en reste une trentaine aujourd'hui. Sont-elles d'influence sarrasine, hongroise ou religieuse (ressemblance avec les clochers de Cluny) ? En réalité, le mot « sarrasin » vient du vieux français et il désignait toute chose ou tout être venu d'une civilisation différente. C'est là l'explication retenue par bon nombre de spécialistes. A Saint-Sulpice la cheminée sarrasine du Colombier possède une mitre conique avec des ouvertures gothiques. La ferme des Broguets, d'influence orientale, est surplombée d'une cheminée sarrasine portant une croix à son sommet.

Cheminée sarrazine du Broguet. *Photo C.M.*

Balade à Saint-Sulpice

 Fiche pratique **37**

2 h 20
7 Km

Promenade courte et reposante dans les champs et les forêts ombragées de la Bresse où, tôt le matin, vous pourrez apercevoir chevreuils, lièvres et faisans.

Situation Saint-Sulpice, à 19 km à l'Est de Mâcon par les N 79 et D 28

① De l'église, prendre la D 92 vers Saint-Didier-d'Aussiat sur 30 m. Juste avant le panneau *Route de la Bresse*, partir à gauche sur la petite route. Lorsqu'elle tourne à droite vers La Teppe, continuer tout droit sur le chemin de terre.

Parking église

② Bifurquer à droite sur le chemin herbeux.

 Balisage bleu

③ Virer à droite pour contourner le bois, puis gagner Grand-Guillaume. Couper la D 26 *(prudence)* et poursuivre sur une voie goudronnée. Prendre la première route à gauche. Elle longe des bois.

④ Emprunter le premier chemin à gauche sur 750 m, à travers bois et prés.

 Difficulté particulière

■ traversée de route entre traversée de route entre **③** et **④**, puis **⑥** et **⑦**

⑤ Au carrefour dans le bois de Frandan, tourner à gauche. Près de la ferme, prendre à droite un chemin de terre. Suivre la D 28 à gauche sur 100 m.

⑥ Bifurquer à droite, près d'une habitation, sur un chemin herbeux qui longe la D 28 puis s'en écarte progressivement. Emprunter la petite route à gauche. Couper la D 28 *(prudence !)* et continuer sur un chemin de terre qui traverse des champs, puis un bois. Prendre la route à droite. Elle s'incurve à gauche et devient un chemin de terre.

Ne pas oublier

⑦ Au croisement, tourner à droite (Ouest). Aller tout droit en ignorant les autres chemins, sur 300 m. Continuer sur la route, puis tourner à gauche pour retrouver le point de départ.

 **À voir**

 En chemin

■ Saint-Sulpice : église, cheminées sarrasines
■ fermes bressanes

Dans la région

■ Saint-Cyr-sur-Menthon : musée de la Bresse (domaine des Planons) ■ Montrevel-en-Bresse : base de loisirs
■ Confrançon : château féodal de Loriol ■ Saint-Martin-le-Châtel : église 11e-12e
■ Curtafond : abside romane 10e, calvaire 11e

Poulet de Bresse. *Photo C.M.*

La Bresse des moulins

*D*e nombreux moulins furent bâtis il y a un siècle. Ils étaient presque tous debout. Certains se sont tus, d'autres ont suivi la modernisation, en étant les pionniers de l'électrification, comme c'est encore le cas pour le moulin de Montfalconnet. D'autres ont prospéré, ont pris de l'ampleur, passant de la minoterie hydraulique à la minoterie à vapeur, le niveau d'eau étant trop insuffisant. Certains se sont construits sur des cours d'eau, d'autres sur des retenues saisonnières, les «moulins à Ban», avec une activité uniquement hivernale, qu'on rendait possible chaque année en remplissant un étang artificiel.

Moulin de Cure. *Photo F.G.*

Les moulins bressans

Situation Polliat, à 7 km au Nord-Ouest de Bourg-en-Bresse par la N 79

 Parking place de l'Eglise

 Balisage jaune

Entre les rivières (Veyle, Iragnon, Etre, Irance…) et les anciennes dragues reconverties pour la pêche, la présence de l'eau est quasi permanente.

❶ Descendre la route devant l'église et prendre le premier chemin à droite. Traverser l'avenue de la Gare et poursuivre par la D 67 sur 300 m.

❷ Tourner à gauche pour passer sous la voie ferrée. Longer la voie à droite jusqu'au moulin de Polaizé en empruntant le chemin des Pêcheurs.

❸ Au moulin de Polaizé, franchir la voie ferrée à droite, puis utiliser à gauche sur le chemin Chambard. Poursuivre par un sentier, puis toujours vers l'Ouest, par une route. S'engager à gauche sur le chemin du Moulin-de-Montfalconnet.

❹ Continuer tout droit et gagner le moulin.

❺ Faire demi-tour jusqu'au repère ❹.

❹ Prendre le premier chemin à droite, le long de la voie ferrée et retrouver le repère ❹.

❸ Franchir la Veyle à droite et parcourir 1 km.

❻ A la sortie de Grand-Vernay, s'engager sur un sentier à droite pour rejoindre les gravières. Couper la D 67 et continuer sur le chemin en face.

❼ Au Petit-Vernay, partir à droite, puis suivre la route à gauche. Franchir l'Etre, puis monter à Champvent. Tourner à droite, puis emprunter à gauche la route qui descend au moulin des Vernes (ruines). Passer le pont sur la Veyle.

❽ Longer à gauche la limite Ouest du marais de Vial, puis prendre à gauche, un sentier qui mène au moulin de Cure.

▶ Pour le voir sous son meilleur angle, aller à 100 m à gauche sur le pont qui enjambe la Veyle.

❾ Emprunter la route qui enjambe l'Iragnon puis franchit la voie ferrée. Tourner à gauche sur le chemin des Jomins et retrouver l'église.

Ne pas oublier

À voir

En chemin

■ Polliat : abside 12e
■ moulin de Polaizé
■ moulin de Monfalconnet (produit de l'électricité, pas de visite) ■ moulin des Vernes (en partie ruiné) ■ moulin de Cure ■ pisciculture Teppe

Dans la région

■ Bourg-en-Bresse : quartier ancien (maisons à colombages 15e) ; église, cloître et musée de Brou ■ Saint-Cyr-sur-Menthon : musée de la Bresse (domaine des Planons)

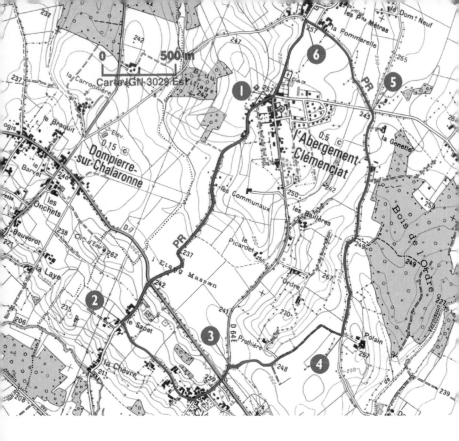

Les matériaux de construction de la Dombes

Ferme à cour carrée. *Dessin F.L.*

*L'*habitat dombiste traditionnel est composé de fermes allongées, souvent avec un étage et un grand avant-toit, et de châteaux ou de grandes fermes protégées par des murs d'enceinte.

Les fermes sont généralement construites en pisé, réalisé à partir de terre savamment travaillée, qu'on utilise à la place du béton pour former les murs, à l'intérieur d'un coffrage. Châteaux, belles demeures et murs d'enceinte sont constitués de briques en terre cuite, baptisées « carrons ». Parfois associées à des armatures en pans de bois (ou colombages), ces briques étaient autrefois produites dans les « carronnières », particulièrement nombreuses en Dombes comme en témoignent les noms de lieux-dits.

L'Abergement-Clémenciat

**2 h 20
7 Km**

A la frontière entre la Bresse et la Dombes, ce petit village vous invite à une promenade reposante avec des points de vue sur le Beaujolais.

Situation L'Abergement-Clémenciat, à 25 km au Sud-Ouest de Bourg-en-Bresse par les D 936 et D 64

 Parking
boulangerie

 Balisage
jaune

❶ Du parking, face à la boulangerie, prendre la route qui part à gauche. Passer à gauche d'un silo en métal et continuer sur 1 km. Couper la D 7 et emprunter en face, la route qui descend vers La Chèvre. Traverser Le Sapet.

❷ Suivre la première rue à gauche. Elle mène à Clémenciat. Obliquer à gauche, passer devant l'église, puis aller tout droit en laissant une rue à droite. Couper la D 7 et prendre la D 64e.

❸ Utiliser la première route à droite. Après 300 m, elle devient un chemin de terre.

❹ Au carrefour, emprunter la petite route à gauche sur 1,5 km et arriver à un carrefour de cinq voies.

❺ Prendre la deuxième route en partant de la gauche, en direction du Vieux-Bourg. Après quelques fermes, laisser le chemin à droite et atteindre un croisement.

❻ Virer à gauche en angle droit et retrouver le parking de départ.

À voir

 En chemin

■ vue sur les Monts du Mâconnais et du Beaujolais

 Dans la région

■ Châtillon-sur-Chalaronne : vieille ville, halles ■ Ars : basilique (pélerinage à saint Jean-Baptiste-Marie Vianney : le saint Curé d'Ars) ■ Villars-les-Dombes : parc ornithologique

Paysage de moisson à L'Abergement-Clémenciat. *Photo M.P.*

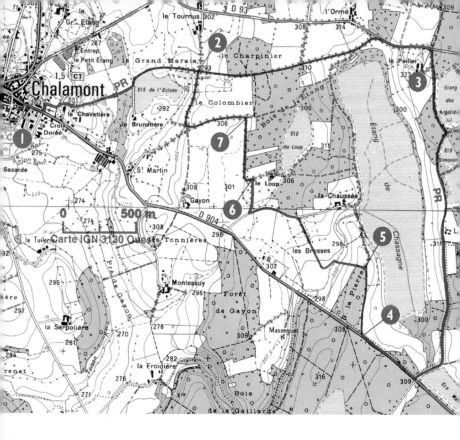

Les étangs de la Dombes

Sans les étangs, la Dombes ne serait qu'un vaste marécage ! Depuis le Moyen Age, les hommes ont compris que la création de plans d'eau pouvait participer à l'assainissement de la région. La production de poisson est venue plus tard, pour les jours maigres imposés par l'Eglise. Le système s'est ensuite développé, jusqu'à faire des pisciculteurs dombistes les premiers producteurs français de poisson d'eau douce.

Un étang de la Dombes. *Photo G.B.*

Toujours exploités selon des méthodes extensives, ces étangs connaissent une intense vie végétale et animale. Grâce à leur faible profondeur, ils sont riches en plancton, qui nourrit les poissons, tandis que les végétaux qui poussent sur les berges servent à la reproduction des poissons et des oiseaux aquatiques... Tout le monde s'y retrouve !

L'étang de Chassagne

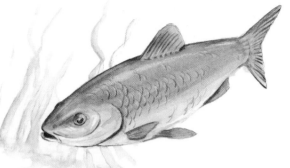

Carpe. *Dessin F.L.*

3 h
10 Km

Situation Chalamont, à 25 km au Sud de Bourg-en-Bresse par les D 23 et D 22

 Parking en bordure de la D 904, près du cimetière ou près de la mairie

 Balisage jaune

Une promenade en boucle à l'orée Est de la Dombes entre bois et étangs avec un beau point de vue sur l'étang de Chassagne, propice à l'observation des oiseaux.

❶ Du parking, emprunter la D 904 à droite. Contourner le cimetière par la gauche et poursuivre sur le chemin vicinal jusqu'à l'étang de l'Ecluse. Obliquer à gauche le long de l'étang et atteindre une croisée de chemins.

❷ S'engager sur le chemin en direction de L'Orme, puis continuer par la D 93 à droite sur 400 m.

❸ Partir à droite en direction de Lentet en longeant les étangs des Argotières, Boland et Simonin. A Lentet, poursuivre sur le chemin vicinal. Près de l'étang Malepalud, rejoindre la D 904 et utiliser le long de la route à droite, un sentier sur 450 m.

❹ Tourner à droite sur un chemin de terre et atteindre un point de vue sur l'étang de Chassagne (*80 hectares, possibilité d'observation des oiseaux*).

❺ Obliquer à gauche, emprunter à gauche le chemin goudronné de La Chaussée, sur 500 m, puis partir à droite vers Le Loup.

❻ Poursuivre par le chemin de terre qui longe les bois.

❼ Se diriger à gauche vers Saint-Martin sur 400 m et atteindre une intersection. Tourner à droite et retrouver le repère ❷ .

❷ Par l'itinéraire emprunté à l'aller, regagner le point de départ.

 Difficulté particulière

■ circuit ouvert du 1er mars au 30 août (déconseillé en période de chasse)

Ne pas oublier

 À voir

En chemin

■ nombreux étangs ■ point de vue : observation d'oiseaux

 **Dans la région**

■ Pérouges : village médiéval classé ■ Villars-les-Dombes : parc ornithologique ■ Le Plantay : abbaye Notre-Dame-des-Dombes ■ Bourg-en-Bresse : quartier ancien (maisons à colombages 15e) ; église, cloître et musée de Brou

Le Parc des Oiseaux

Le parc des Oiseaux.
Photo G.B.

L'un des fleurons de l'Ain pour la protection d'oiseaux et la fréquentation touristique, le Parc des Oiseaux de Villars-les-Dombes, fête ses trente ans en 2000. Basé au cœur des étangs de la Dombes, au sein d'une réserve (zone de protection) dont la mission est la conservation d'espèces sédentaires et migratoires, il est la vitrine accessible au grand public. Abritant 2 000 oiseaux, représentant 400 espèces venant des cinq continents, sa vocation reste de distraire, d'éduquer et d'informer le public, de protéger et de faciliter la reproduction d'espèces rares ou en voie de disparition. Depuis fin 1999, un vaste programme de réaménagement du Parc a été programmé afin d'adapter cet équipement à la demande touristique du troisième millénaire.

Circuit du Canard

2 h 20
7 Km

En pleine Dombes des étangs, le circuit du Canard offre une parfaite illustration du paysage dombiste, terre d'élection des oiseaux migrateurs.

Situation Saint-Paul-de-Varax, à 14 km au Sud-Ouest de Bourg-en-Bresse par la N 83

P **Parking** place de l'Eglise

❶ De la place de l'Eglise, emprunter le chemin du lotissement du Vieux-Jonc et du Moulin.

Balisage canard jaune

❷ Tourner à droite sur le chemin de terre en direction de Vacquant. Laisser la ferme à gauche et poursuivre sur la voie goudronnée vers Bléney. Traverser le hameau, puis arriver à un carrefour.

▶ La route à gauche permet de rejoindre la base de plein air et de loisirs distante d'1 km.

❸ Suivre la route à droite et gagner l'étang Neuf. Tourner à gauche sur le chemin de terre qui longe l'étang.

Ne pas oublier

❹ S'engager à droite sur la chaussée qui sépare les deux étangs, puis emprunter la D 70b à droite sur 800 m.

❺ Au carrefour, partir à gauche vers Perche, puis bifurquer à droite vers Migeleine et atteindre une intersection.

❻ Tourner à droite, longer Migeleine et continuer vers La Sablonnière. Prendre la D 70b à gauche et retrouver le point de départ.

À voir

En chemin

■ Saint-Paul-de-Varax : église romane (1103-1150), musée Jourdan ■ base de plein air ■ nombreux étangs

Le colvert. *Dessin F.L.*

Dans la région

■ Villars-les-Dombes : parc ornithologique ■ Le Plantay : abbaye Notre-Dame-des-Dombes ■ Bourg-en-Bresse : quartier ancien (maisons à colombages 15e) ; église, cloître et musée de Brou

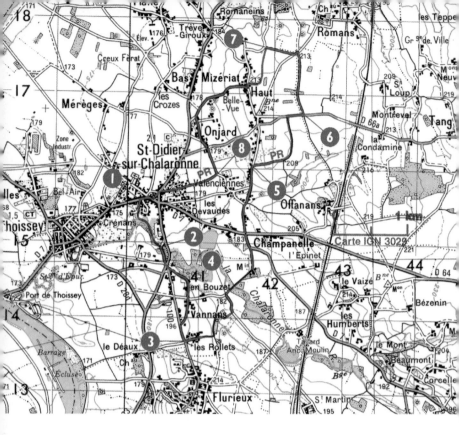

Saint-Didier et ses moulins

*L*es premiers moulins apparaissent dans un texte de 956. Sur le seul canton, on en dénombrait 13. Le canal des Echudes, long de 5,5 km, fut creusé à main d'homme, avant le 15e siècle, sur la rive droite de la Chalaronne, de Tallard à Thoissey ; pour servir en un premier temps à l'irrigation et plus tard aux meuniers et aux lavandières. L'utilisation était très réglementée (1855) ; chaque moulin devait entretenir une partie du canal, qui était nettoyé une fois l'an. A notre époque, il ne reste qu'un seul moulin en activité, le moulin Traffay, qui prépare les farines spécialisées pour les boulangers.

Le moulin de Saint-Julien. *Photo G.R.*

Les moulins de la Chalaronne 42

3h
12 Km

Une belle balade entre Saône et contrefort du plateau dombiste. Le thème des moulins est marqué par les anciennes exploitations tout au long de la Chalaronne, affluent de la rive gauche de la Saône.

❶ De la place de la Mairie, partir à gauche vers le lotissement de Pressignac. Longer le camping, puis la Chalaronne.

❷ Avant la D 933, suivre à droite l'ancienne route, puis franchir l'ancien pont sur la Chalaronne. Parcourir 200 m, puis atteindre l'aire de repos. Couper la D 933 *(prudence)* en direction du centre équestre, puis s'engager à gauche sur le petit chemin. Il monte vers un château 19e qui domine le val de Saône. Poursuivre vers Vannans, puis emprunter la D 100 à gauche sur 250 m.

❸ A la croix, tourner à gauche et traverser Les Rollets. Prendre à gauche le chemin qui descend vers la Chalaronne. Entrer dans le bois à droite, puis suivre la route à gauche.

❹ Franchir à droite une rivière sur une passerelle proche de plans d'eau *(plusieurs espèces de poissons exotiques)*. Rejoindre le moulin des Vernes. Continuer par la petite route, puis la D 7 et atteindre le carrefour avec la D 64. Poursuivre tout droit et gagner Valenciennes.

❺ Dans la montée, après les dernières maisons, s'engager sur le chemin creux à droite qui traverse les champs. Emprunter la D 66a à droite sur 250 m.

❻ Partir à gauche sur le chemin. Prendre la route à gauche sur quelques mètres, puis un chemin qui descend à droite sur 400 m.

❼ A la route, tourner à gauche sur un chemin, puis virer à droite et arriver à Haut-Mizériat. Aller à gauche sur 50 m, puis à droite vers le château de Belle-Vue. Continuer sur 1 km jusqu'à Ongard. Poursuivre en direction de Valenciennes sur 500 m.

❽ Prendre à droite le chemin qui traverse les lotissements et ramène à Saint-Didier-sur-Chalaronne. Suivre la D 933 à gauche, puis la D 7 à droite et retrouver la mairie.

Situation Saint-Didier-sur-Chalaronne, à 33 km à l'Ouest de Bourg-en-Bresse par les D 936 et D 64

P **Parking** mairie

Balisage
bleu

⚠ **Difficulté particulière**

■ traversées des routes départementales

Ne pas oublier

À voir

En chemin

■ centre équestre : ancien moulin 18e ■ Vannans : maisons de pisé ■ Haut-Mizériat : demeures ■ Saint-Didier-sur-Chalaronne : église

Dans la région

■ Saint-Didier : rucher de la Platte ■ Villars-les-Dombes : parc ornithologique ■ Vonnas : village, gastronomie

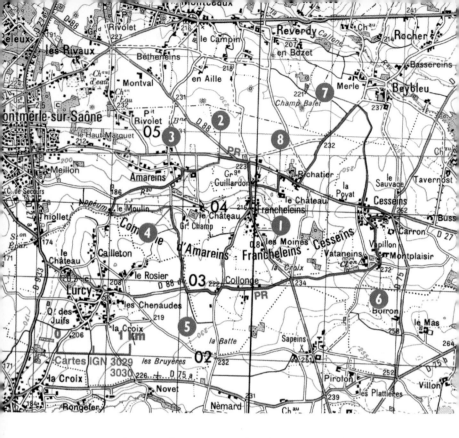

Les chevaux de la Dombes

Elevage de chevaux en Dombes. *Photo G.B.*

Connue pour son poisson et son gibier d'eau, la Dombes est aussi l'une des grandes régions françaises d'élevage de chevaux.

Les origines de cette activité remontent à la fin du Moyen Age, mais elle ne s'est réellement développée qu'au 19e siècle, marqué notamment par la construction de l'hippodrome de Chatillon-sur-Chalaronne. Aujourd'hui encore, plusieurs courses s'y déroulent chaque année sur des pistes rénovées et les parieurs y font un chiffre d'affaires important.

Autrefois dépendant de l'armée qui lui offrait son principal débouché, l'élevage dombiste s'est orienté vers le sport équestre, aidé par la présence de clubs actifs qui forment régulièrement des cavaliers de très haut niveau, dont Hubert Bourdy ou Michel Robert.

D'un château à l'autre

3 h 30 14 Km

272m
185m

A l'écart du val de Saône, constituant un balcon à l'orée de la Dombes, le circuit d'Amareins-Francheleins-Cesseins est remarquable sur le plan du patrimoine et du paysage, avec des vues sur le Beaujolais.

Situation Amareins-Francheleins-Cesseins, à 15 km au Nord de Villefranche-sur-Saône par les D 904, D 933 et D 27

 Parking église de Francheleins

❶ Se diriger au Nord. Laisser une voie à droite et gagner le cimetière. Emprunter la D 27 à gauche sur 400 m.

❷ S'engager à gauche sur un chemin rural herbeux jusqu'à l'allée du château d'Amareins. La traverser en passant à droite de la ferme et poursuivre sur 200 m.

Balisage

❶ à ❺ orange
❺ à ❻ violet
❻ à ❶ orange

❸ Tourner à gauche sur le chemin qui mène à l'église d'Amareins. Continuer tout droit vers Le Moulin et franchir le pont sur l'Appéum. 50 m après, prendre à gauche un chemin rural et atteindre une intersection.

▶ Accès à un point de vue sur le château d'Amareins, en allant à gauche sur 50 m.

Ne pas oublier

❹ Virer à droite plein Sud.

❺ Emprunter la D 88d à gauche. Gagner Petit-Collonge, puis tourner à droite et traverser Collonge. Poursuivre vers La Croix, couper la D 88 et aller tout droit vers le château de Vataneins. Le contourner par la droite en direction de Montplaisir.

À voir

❻ Utiliser à gauche la D 75g vers Cesseins. Au carrefour dans le bourg, partir à droite, puis emprunter la D 27 à gauche sur 300 m. Tourner à droite et descendre vers Le Molard sur 1 km, pour arriver à proximité de Beybleu.

 En chemin

❼ Suivre la route à gauche sur 1,5 km et gagner Pichatier. Prendre la D 27 à droite sur 400 m.

■ Amareins : château 13e, église 11e ■ Vataneins : château 19e ■ Francheleins : château ruiné

❽ Tourner à gauche vers le château de Francheleins *(partiellement ruiné, la ferme comprend une partie de la tour et la porte)*. Virer à droite, puis emprunter la D 88 à gauche pour retrouver l'église de Francheleins.

Dans la région

■ Montmerle-sur-Saône : chapelle des Minimes ■ Ars : basilique (pélerinage à saint Jean-Baptiste-Marie Vianney : le saint Curé d'Ars)
■ Châtillon-sur-Chalaronne : vieille ville, halles

Coucher de soleil sur la Saône. *Photo G.B.*

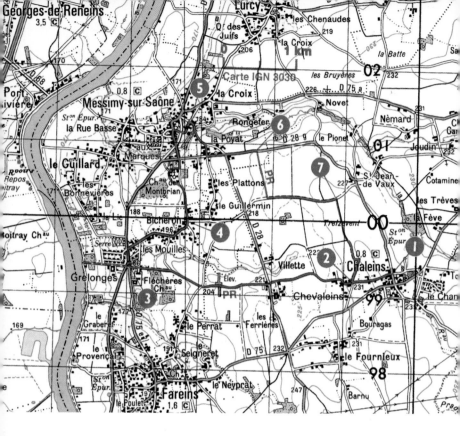

Le château de Flèchères

Le château de Flèchères. *Photo CDT.*

*P*eut-être est-ce le plus beau château du département de l'Ain? Elevé à partir de 1616 sur la base d'une ancienne maison forte pour Jean de Sève, prévôt des marchands de Lyon, cet imposant édifice est assurément l'un des plus riches témoignages de la vie aristocratique de l'époque d'Henri IV. De magnifiques fresques attribuées au peintre italien Pietro Ricchi, qui les réalisa en 1632, ont été découvertes en 1998. A l'époque, le château abritait également un temple calviniste. Dans les années soixante-dix, il se distingua à l'occasion du tournage du film *Le Diable par la queue* de Philippe de Broca, avec Yves Montand. Racheté en 1997, il fait aujourd'hui l'objet d'un important programme de restauration.

Circuit des Châteaux

3 h
12 Km

Cette promenade au départ de Chaleins, petite commune rurale dominant le Val de Saône, permet de découvrir les plus beaux châteaux de ce pays de Saône et notamment le château de Fléchères.

❶ Partir vers l'Ouest et gagner Chevaleins.

❷ Dans le hameau, continuer à l'Ouest vers Villette, puis poursuivre par la même route vers le château de Fléchères. Passer devant le château et atteindre un carrefour.

▶ Accès possible au bord de Saône en allant tout droit, par Grelonges : maison du Passeur et, sur l'autre rive, monumentale grange du Diable *(1,3 km aller-retour)*.

❸ Longer la D 933 à droite vers Messimy, puis tourner à droite pour rejoindre Bicheron *(ferme-auberge)*.

❹ Continuer au Nord vers le château de Montbrian, puis gagner Messimy-sur-Saône. A l'église, tourner à droite, couper la route et atteindre le carrefour de la Vierge.

❺ Aller en direction de La Poyat. A l'entrée du hameau, bifurquer à droite, puis emprunter la D 28g à gauche sur 450 m.

❻ Prendre le chemin de terre à droite sur 650 m, puis tourner à gauche sur un chemin empierré.

❼ Partir à droite et continuer plein Sud en direction de Chevaleins.

❷ Tourner à gauche pour retrouver Chaleins.

Situation Chaleins, à 9 km au Nord-Est de Villefranche-sur-Saône par les D 933 et D 75

 Parking place de la Mairie

 Balisage jaune

 Difficulté particulière

■ prudence sur la D 933 après **❸**, puis sur la D 28g entre **❺** et **❻**

Ne pas oublier

 À voir

En chemin

■ Fléchères : château 17e (joyau d'architecture) ■ Bicheron : ferme-auberge de la Bicheronne ■ Montbrian : château (construit vers 1690, entouré d'un beau parc abritant une auberge et un centre équestre) ■ Messimy-sur-Saône : église 12e

Dans la région

■ Ars : basilique (pèlerinage à saint Jean-Baptiste-Marie Vianney : le Saint Curé d'Ars) ■ Villeneuve : maison forte 11e ■ Montmerle : chapelle des Minimes

 ...eau de Fléchères.
Dessin F.L.

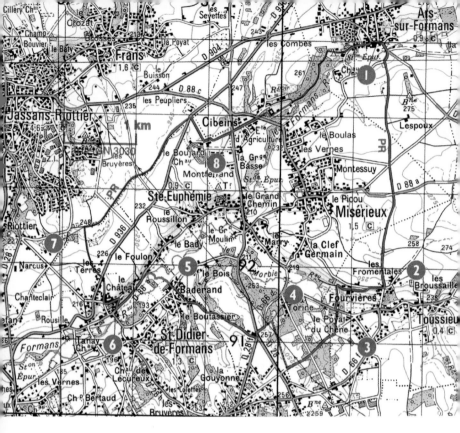

Le curé d'Ars

Originaire de Dardilly près de Lyon, Jean-Marie Vianney arriva dans la Dombes en 1818, pour prendre en charge la paroisse d'Ars-sur-Formans. En dépit de l'accueil plutôt frais réservé par ses paroissiens, le nouveau curé multiplia les initiatives au plan local, sans jamais cesser de prier.

A sa mort en 1859, il était traité comme un saint, recevant de nombreux pèlerins. Il fallut cependant attendre 1905 pour qu'il soit canonisé. Aujourd'hui encore, la mémoire du patron des curés de campagne est célébrée chaque année le 4 août, date anniversaire de sa mort.

Sur place, on peut visiter l'ancien presbytère, l'église et la chapelle qui contiennent le corps et le cœur du saint, et un «historial» où des personnages de cire retracent la vie du curé d'Ars.

Basilique d'Ars. *Photo A.M.C.*

Sentier d'Ars

3 h 45 · 15 Km

Cet itinéraire, raccordé à Trévoux, capitale historique de la Dombes, par le Circuit des Sept-Communes, suit les traces du Curé d'Ars et permet de découvrir la basilique d'Ars-sur-Formans.

curé d'Ars. *Dessin F.L.*

Situation Ars-sur-Formans, à 42 km au Sud-Ouest de Bourg-en-Bresse par D 936 et D 88b

Parking crypte

❶ Du parking de la crypte, suivre la D 88b, puis au Sud, la route du monument de la Rencontre sur 3,5 km et gagner Fourvières.

❷ A la croix cinquantenaire, tourner à droite et descendre la route jusqu'à La Thiollière. Partir à gauche et franchir le Morbier. Couper la D 66d, puis s'engager sur le chemin de terre qui monte à travers bois et rejoint le circuit des Sept-Communes.

❸ Virer à droite, couper une route et atteindre une croisée de chemins avant la D 28. Suivre le chemin à droite qui borde le plateau sur 700 m.

❹ Obliquer à gauche, couper la D 28 *(prudence)*, prendre à gauche la D 28f, puis le premier chemin à droite. Il mène au Boutassier.

❺ A l'entrée du hameau, bifurquer à droite sur le chemin de Badérand. Il traverse une route en contrebas. Continuer en face sur un chemin qui franchit le Formans, puis débouche sur la D 88a. L'emprunter à gauche sur 500 m jusqu'à La Voinerie.

❻ S'engager à droite sur le chemin du Château, puis obliquer à gauche. Au cimetière, prendre à droite le chemin des Vignes-du-Château. Couper la D 936 *(prudence)* et monter à droite sur le plateau.

❼ Au bout du chemin, aller à droite sur 2,2 km, puis traverser la D 936 *(prudence)*. Suivre la route du château du Boujard, puis tourner à gauche et couper la D 28 *(prudence)*.

❽ Entrer dans le domaine agricole de Cibeins en direction du parc du lycée. Pénétrer dans le parc et s'engager à droite sur le chemin goudronné qui longe l'étang. Poursuivre dans le vallon boisé sur un chemin, puis continuer, près du camping d'Ars, sur la route qui mène à la basilique. Aller à droite pour retrouver la crypte.

Balisage

❶ à ❸ rectangle bleu
❸ à ❺ cercle jaune
❺ à ❶ rectangle bleu

⚠️ **Difficulté particulière**

■ traversée de routes fréquentées

Ne pas oublier

À voir

En chemin

■ Ars : basilique (pèlerinage à saint Jean-Baptiste-Marie Vianney : le Saint Curé d'Ars), musée du Saint-Curé-d'Ars, monument de la Rencontre
■ Cibeins : parc et domaine du lycée agricole

Dans la région

■ Trévoux : ancienne capitale de la principauté de Dombes, salle du Parlement, apothicairerie (hôpital), château et tour octogonale (panorama), musée des Filières de diamant (à l'office de tourisme)

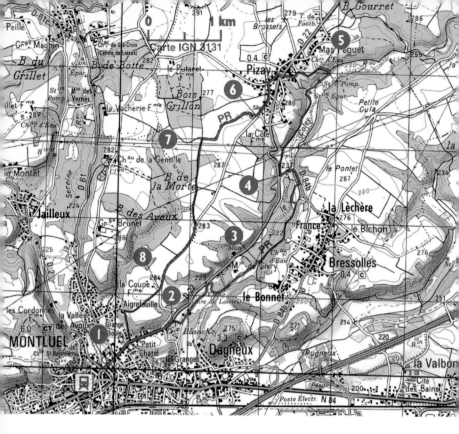

Le glacier du Rhône

Pendant la période glaciaire, le Rhône prenait sa source au sud de l'actuelle agglomération lyonnaise, l'amont était intégralement recouvert par les glaces. Le glacier du Rhône descendait jusqu'à Belley où il rejoignait le glacier de l'Isère. A eux deux, ils couvraient une immense région, englobant la Bresse et la Dombes. Leur moraine s'étendait jusqu'au niveau de Lyon, bloquée par les coteaux du Lyonnais ; 10 000 à 15 000 ans plus tard, les glaciers ont commencé à se retirer, laissant subsister dans la Dombes, de nombreuses cuvettes creusées par les eaux de fonte et de petites collines formées par la moraine. Ces « poypes », chères aux dombistes, ont bien plus tard permis l'installation des villages ou de grandes fermes.

Le lac Netton. *Photo S.G.*

Circuit de la Côtière

3 h 15 • 13 Km

Ce circuit est caractéristique du paysage de la Côtière du Rhône, en amont de Lyon, avec le «lac Neyton», devenu aire de loisirs, dont les eaux ferrugineuses furent exploitées jusqu'en 1914.

Situation Montluel, à 23 km au Nord-Est de Lyon par la N 84

 Parking place de la Dombes

① Suivre le parcours piétonnier qui longe la D 22 vers Pizay sur 1 km.

 Balisage jaune

② S'engager à droite sur un sentier, puis à gauche sur le chemin qui mène au lac Neyton. Longer le lac et franchir le Cotey sur une passerelle métallique. Continuer le long de la rive gauche du ruisseau jusqu'au-delà du moulin de Givry.

 Difficulté particulière

■ parcours le long de la D 22 entre ① et ②, puis ⑧ et ①

③ Emprunter à droite le chemin qui monte vers Le Bonnet sur quelques mètres, puis s'engager à gauche sur le chemin qui parcourt le vallon boisé. Sortir des bois à gauche, puis prendre la D 84b à gauche sur 300 m.

④ Avant la D 22, suivre à droite un chemin qui longe bois et prairies dans le vallon.

⑤ Bifurquer à gauche et monter à Pizay. Traverser la D 22, emprunter la rue en face, puis à gauche la route qui conduit au cimetière.

Ne pas oublier

⑥ Devant le cimetière, prendre le chemin sur le plateau sur 1 km.

⑦ Suivre à gauche le chemin de terre à travers bois et cultures, puis continuer sur une route.

⑧ Aller vers la ferme de la Coupe sur 10 m, puis s'engager à gauche sur un chemin qui descend. Retrouver la D 22 et utiliser à droite le parcours piétonnier qui la longe pour regagner Montluel.

La mésange charbonnière. *Dessin F.L.*

 À voir

En chemin

■ Montluel : apothicairerie, hôtel de Condé, collégiale Notre-Dame-des-Marais
■ aire de loisirs du Lac-de-Neyton

Dans la région

■ Pérouges : village médiéval classé ■ Villars-les-Dombes : parc ornithologique

LES SENTIERS DE GRANDE RANDONNÉE®

DANS LA RÉGION

GR® Sentiers
de Grande
randonnée

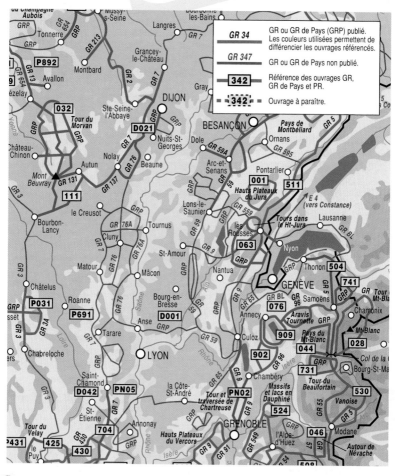

Randonner quelques JOURS

Partir entre amis, en famille sur les sentiers balisés à la recherche des plus beaux paysages de France.

Les topo-guides des sentiers de Grande Randonnée ®de la FFRP sont indispensables pour bien choisir sa randonnée.

Ces guides vous feront découvrir la faune, la flore, les sites naturels merveilleux, un vrai régal pour les yeux.

Marcher, rien de tel pour se refaire une santé.

100 GUIDES pour découvrir tous les GR® de France !

Où que vous soyez, où que vous alliez en France, vous trouverez un sentier qui vous fera découvrir d'extraordinaires paysages. Les topo-guides FFRP guideront vos pas vers ces lieux purs, naturels et revivifiants.

BIBLIOGRAPHIE

CONNAISSANCE GEOGRAPHIQUE ET TOURISTIQUE DE LA REGION

- Guide Gallimard, *L'Ain*, éd. Gallimard
- Buffet Humbert, *La vallée de l'Ain*, éd., Taillanderie
- Ponsot P., *La Bresse, les Bresses Ain Jura Saône-et-Loire*, éd., Bonavitacola
- Guichard P., *Connaissance des Pays de l'Ain*, éd., Bonavitacola
- Pommerol A., *Dictionnaire du département de l'Ain*, éd., La Grande Fontaine
- Derombourg, *Atlas actuel du département de l'Ain*, éd. Ferraris
- Guillon C., *Chansons populaires de l'Ain*, éd. Ferraris
- Bocquillod E., *Villages de l'Ain*, éd. Voix de l'Ain
- Guichard P., *Anthologie poétique des pays de l'Ain*, éd. Trévoux

CONNAISSANCE HISTORIQUE DE LA REGION

- Jantet A, *L'Ain des Templiers*, éd. Trévoux
- Couard C., *Combattants de l'ombre dans l'Ain*, éd. du Bastion
- Cattin - Dusoncet, *L'Ain de 1939 à 1945 - de la guerre à la liberté*, éd. Archives de l'Ain
- Prost J., *Histoire de l'Ain*, éd., Trévoux
- Amis de Brou, *L'Ain : ses peintres d'hier*, éd., musée de Brou
- Chaix, *Armorial des communes de l'Ain*, éd., Bonavitacola

CARTOGRAPHIE

- Cartes IGN au 1 : 25 000 : n° 3029 O, 3030 O, 3031 O, 3027 E, 3028 E, 3029 E, 3030E, 3127 O, 3128 O, 3129 O, 3130 O, 3131 O, 3127 E, 3128 E, 3129 E, 3130 E, 3131 E, 3227 OT, 3228 OT, 3230 OT, 3231 OT, 3232 ET, 3327 ET, 3328 ET, 3330 OT, 3331 OT.
- Carte IGN au 1 : 100 000 n° 44
- Carte IGN au 1 : 200 000 n° 244
- Des dépliants sont disponibles dans la plupart des offices de Tourisme, les mairies, ainsi qu'au Comité départemental du Tourisme de l'Ain (voir adresses utiles p. 15).
- *Le Guide de la randonnée de l'Ain*, 28 pages de présentation, conseils et adresses utiles…(CDT Ain).

- De nombreux autres sentiers de petite randonnée sont balisés et entretenus dans l'Ain. Le CODERANDO peut fournir sur demande un catalogue des topo-guides départementaux et locaux avec l'adresse des points de vente.

Pour connaître la liste des autres topo-guides de la FFRP sur la région, se reporter au catalogue disponible au Centre d'information Sentiers et randonnée (voir «Où s'adresser ?»).

REALISATION

La réalisation de ce topo-guide est le fruit de la collaboration du Conseil général de l'Ain, du Comité départemental du Tourisme de l'Ain, du Comité départemental de la Randonnée pédestre de l'Ain (CODERANDO 01) et des associations qui le constituent .

 Le balisage, l'entretien et la signalétique des itinéraires décrits sont assurés par les associations suivantes : Amis de Coligny, Les Amis de Treffort, Etoile du Revermont, Comité d'Animation de Chavannes, Office de tourisme de Poncin, Syndicat d'Initiative de Neuville-sur- Ain, Syndicat d'initiative de Cerdon, Club de Randonnée pédestre de Jujurieux, Rando Saint-Martin, Association de Randonnée de Corveissiat, Association de Promenade des Monts et Vallées de l'Ain et de l'Oignin, Office de tourisme de Nantua, Club Oyonnaxien de Randonnée pédestre, Centre d'Accueil Montagnard de Giron, Amicale des sentiers Chézerands, SIVOM de la Valserine, Amis des sentiers de Bellegarde, Gymnastique volontaire de Gex, Amis du col du Sac, Comité des Pistes de Ski de Fond des Plans d'Hotonnes, Cercle amical de Songieu, Club pédestre de Culoz, Office de tourisme de Virieu, Club pédestre de Belley, Villageois d'Izieu, Syndicat d'initiative de Lhuis, Villebois-Randonnées, Randonneurs du Buizin, Randonneurs d'Hauteville, Site Culture Loisirs de Bâgé, Office de tourisme de Pont-de-Vaux, District de Montrevel, MJC de Polliat, Communauté de Communes de Châtillon, Commune de Chalamont , Commune de Saint-Paul-de-Varax, Office de tourisme de Thoissey, District Montmerle-Trois Rivières, Comité des fêtes de Chaleins, Groupe pédestre Trévoltien, Syndicat d'Initiative de Montluel.

 Les textes thématiques ont été rédigés par Patrick Maitre et Gilles Brevet ; la Conservation départementale du Musée des Pays de l'Ain ; le District de Montrevel-en-Bresse ; les bénévoles des associations gérant les sentiers.

 Les photographies sont du Comité départemental de tourisme de l'Ain (CDT) et de Georges Alves (G.A.), Roger Anselme (R.A.), Jean-François Barioz (J.F.B.), M. Bert (M.B.), Gilles Brevet (G.B.), Jean Bottex (J.B.), Philippe Buffard (Ph. B.), Pierre Camus (P.C.), Véronique Schaeffer (V. S.), Gabriel Berthod (G. Be.), Anne-Marie Chambard (A.M.C.), Jacques Duthion (J.D.), Josiane Foray (J.F.), Jean-Pierre Gotti (J.P.G.), Sylvie Grgic (S.G.), Bruno Ladet (B.L.), Jean Lagnier (J.L.), Jean Leignier (J.Le.), Jean-Noël Mathy (J.N.M.), Aline Périer (A.P.), Maxime Poncet (M.P.), Bernard Ravier-Mizelle (B.R.-M.), Gérard Reynaud (G.R.), Henri Rivaton (H.R.), Robert. Sibuet (R.S.), Claude Sontot (C.S.), Andrée Taponard (A.T.), Jean-François Terraz (J.F.T.), René Teychenne (R.T.), Eric Varrel (E.V.), Nicolas Vincent (N.V.), Capricorne – District de Montrevel (C.C.M.), Communauté de Communes de Pont-de-Vaux (C.C. Pont-de-Vaux), les Soieries C.J. Bonnet (Soieries C.J.B.).
La carte postale ancienne de la p.74 a été aimablement fournie par la Conservation départementale - Musées des Pays de l'Ain(C.D.M.P.A.).

 En couverture : grande photo : vallée de l'Ain (Gilles Brevet) - vignette haut : Eurythrone Dent-de-Chien (O.T. Nantua) - vignette bas : Bleu de Gex (Aline Perier).

 Les illustrations sont de Florian Langlais (F.L.).

Montage du projet, et direction des éditions : Dominique Gengembre. Secrétariat d'édition : Philippe Lambert, Nicolas Vincent. Cartographie : Olivier Cariot, Christiane Fantola, Christophe Touny et Frédéric Luc. Mise en page : MCP. Suivi de fabrication : Jérôme Bazin. Lecture et corrections : Marie-France Hélaers, Brigitte Arnaud, Brigitte Bourrelier, Anne-Marie Minvielle, Hélène Pagot et Gérard Peter.

 Création maquette : Florelle Bouteilley, Isabelle Bardini - Marie Villarem, FFRP. Les pictogrammes et l'illustration du balisage ont été réalisés par Christophe Deconinck, excepté les pictogrammes de jumelles, gourde et lampe de poche qui sont de Nathalie Locoste.

Cette opération a été réalisée avec le concours du Conseil général de l'Ain.

DANS LA MÊME COLLECTION

Que de découvertes à faire en France ...

... regardez un peu les titres !

INDEX DES NOMS DE LIEUX

Compogravure : MCP, Orléans
Impression : Corlet, Condé-sur-Noireau, n° 46773